Curso de cocina para sibaritas

Postres

everest

Curso de cocina para sibaritas

Postres

Un postre delicioso constituye el cierre perfecto de una buena comida. Puede tratarse de una combinación de frutas exóticas, una exquisita crema, una *mousse* o un refrescante sorbete. Este curso de cocina para el hogar les muestra con exactitud cómo se hace. Con ello, incluso saldrán a la luz secretos de pastelería como la preparación de *petits fours* o de tartas. Consultar estas páginas será como asistir a un curso presencial de la mejor repostería del mundo.

En la segunda parte del libro podrá poner en práctica sus conocimientos, ya que nuestros cocineros desvelan aquí sus mejores recetas para postres, en las que, desde las más innovadoras ideas hasta lo realmente clásico, nos ofrecen todo lo necesario para poner el broche de oro que se merece un menú exigente.

FOTOS DE LAS RECETAS: Matthias Hoffmann, Frauke Koops – Producción, Estilismo, Atrezo
FOTOS DEL CURSO DE COCINA: Peter von Felbert, Anne Eickenberg

PRODUCTOS

CURSO DE COCINA

RECETAS

CURSO DE COCINA
Postres

Principios básicos de la preparación de postres

Prepare sus creaciones siguiendo un par de sencillas normas del arte de la repostería.

COMIENCE USTED CON LA PLANIFICA-CIÓN y piense en lo que mejor le va al plato principal del menú que ha previsto. Después de un contundente plato de carne es adecuado, por ejemplo, un postre ligero de frutas. A un plato de pescado o de marisco puede seguirle una rica crema o un postre de chocolate. Si el plato principal le va a exigir algo más de trabajo, decídase por un postre que pueda preparar el día anterior. Los fritos o los postres de sartén deben servirse siempre recién hechos y los platos preparados con huevos no deben permanecer en ningún caso más de 24 horas en la nevera.

UTENSILIOS DE REPOSTERÍA

La mayoría de los utensilios, como los moldes para horno o las terrinas, se encuentran habitualmente en todos los hogares. Quizás disponga también de una sorbetera, así como de una selección de moldes y timbales para hornear (ver página 202). Importantes son una báscula precisa, un colador fino o un chino, y un buen batidor de varillas. Encontrará una lista de los utensilios imprescindibles en la página 204.

Para volcar postres gelatinosos desprender primeramente la masa de los bordes del molde con cuidado, utilizando un cuchillo puntiagudo pero no demasiado afilado. Colocar después un plato o una bandeja alargada sobre el molde. Volcarlo todo y levantar el molde con cuidado.

BUENOS PRODUCTOS

Éstos son condición fundamental para un buen postre. Utilice siempre que sea posible fruta fresca. Las frutas congeladas o envasadas son únicamente un recurso. También en el caso de las nueces, las almendras o la ralladura de coco es necesario asegurarse de su frescura. Sin embargo, en cuanto al chocolate de cobertura no tiene por qué tratarse de la variedad más cara. Todas nuestras recetas pueden elaborarse con el chocolate de cobertura normal que se vende en el supermercado.

Decorar postres

Una decoración a base de chocolate (página 48) o de azúcar (página 54) convierte cualquier postre en una creación muy especial.

PRESENTACIÓN DE LOS POSTRES

Hágase con algunos vasos, cuencos o platos decorativos en los que incluso los postres más sencillos quedan bonitos. Muy aparente queda una crema, un helado o un sorbete sobre un espejo de salsa de frutas (página 37) o, especialmente sofisticado, en un cuenco comestible hecho de merengue o de pasta de almendras (páginas 15 y 39).

Lo mejor es batir la clara a mano, ya que el movimiento circular permite incorporar a la masa suficiente aire, de manera que el punto de nieve adquiere la consistencia adecuada. Una gota de zumo de limón y una pizca de sal también ayudan.

La clara de huevo batida de forma óptima brilla como la seda y el punto de nieve forma en el extremo del batidor una punta que se inclina hacia abajo

Ingredientes esenciales para la preparación de postres

Los buenos postres se componen de huevos frescos y un punto de nieve perfecto. Resulta igualmente esencial la utilización correcta de la gelatina.

MUCHOS POSTRES se preparan sobre una base de huevos. Es muy importante que éstos sean frescos, ya que en repostería los huevos se utilizan a menudo crudos. En muchas ocasiones, es también significativo su tamaño (M, L, XL) por lo que éste se indica en las recetas correspondientes.

Un buen cocinero tiene también en cuenta el batido de las claras, ya que el punto de nieve hace, por ejemplo, las cremas más esponjosas y ligeras o consigue que los merengues tengan la consistencia adecuada (página 14). Se pueden montar las claras con el brazo del batidor eléctrico pero, sin embargo, los profesionales abogan por el método manual. Si la receta prevé la adición de azúcar, hay que tener en cuenta que se ha de dividir la cantidad total en tres partes, distribuyéndolas sobre las claras en tres momentos diferentes. Cada vez que se eche azúcar, se batirá. Así resultará más fácil tener "bajo control" las claras montadas.

GELATINA – ELEMENTO *GELIFICANTE* CLÁSICO

El elemento *gelificante* más utilizado en la repostería es la gelatina. Se fabrica con albúmina animal.

Otras alternativas vegetales para gelificar son el agar-agar o la harina de garrofín. Si se utilizan estos productos, prestar atención a las indicaciones del fabricante, ya que se emplean de forma distinta a la gelatina. La gelatina se encuentra en forma de hojas o en polvo. Los profesionales prefieren las hojas porque se pueden dosificar mejor, en tanto que para utilizar el polvo es necesaria una báscula de cocina muy precisa. La gelatina se utiliza de muy diversas maneras en repostería. A partir de pocos y sencillos ingredientes como la crema inglesa (páginas 24-25), los zumos de frutas o también el vino, así como de algunos aromatizantes como el azúcar, la vainilla o el zumo de limón se obtienen, añadiendo gelatina y después de algunas horas de frío, sólidas jaleas o cremas frías.

Desleír la gelatina

Sólo es necesario desleír la gelatina cuando se va a añadir a líquidos fríos. En masas calientes se puede agregar la gelatina directamente después de ablandada. La gelatina en polvo se puede mezclar en masas calientes incluso sin ablandarla previamente.

(1) Enrollar las hojas de gelatina y sumergirlas en un recipiente con agua fría para ablandarlas.

(2) Calentar la gelatina ablandada y desleírla. Un chorrito de alcohol o de agua ayuda a que se disuelva bien.

(3) Finalmente, mezclar la gelatina disuelta (ligeramente templada) en una masa fría. Por ejemplo en claras de huevo montadas a punto de nieve.

(4) En el caso de líquidos calientes (nunca hirviendo), no es necesario ablandar antes la gelatina.

Merengue

Con el merengue se puede decorar un postre o hacer pequeños recipientes para, por ejemplo, un bonito dulce de frutas.

LA MASA para el merengue se compone de pocos ingredientes, y con el método que aquí se explica es muy fácil de hacer. Un maestro pastelero conoce otras formas de preparación, como el "merengue italiano", en el que se va mezclando paulatinamente con las claras almíbar caliente. De esta manera, las claras montadas adquieren más consistencia. En cualquier caso, este método sólo merece la pena cuando se preparan grandes cantidades.

RECETA BASE

Preparar la masa para merengue con los ingredientes que se indican en el recuadro de la derecha. Batir las claras de huevo en un recipiente de acero inoxidable con el batidor de varillas hasta lograr un punto de nieve suelto. Después, añadir lentamente el azúcar, seguir batiendo, mezclar el azúcar en polvo y el espesante. Introducir la masa en una manga de pastelería con la anchura y la forma de la boquilla deseada (ver modelos a la derecha) y distribuirla en montoncitos, dibujando la forma deseada, sobre una placa de horno cubierta con papel de hornear. Introducir la placa en el horno a una temperatura de 100 °C para que se seque la masa, que no debe tomar color. Las formas pequeñas adquieren consistencia al cabo de 1 hora; las grandes necesitan algo más de tiempo.

CONSEJOS DEL PROFESIONAL

Doblar el borde superior de la manga pastelera antes de llenarla con la masa de merengue, de esta manera se podrá cerrar la manga y presionar sin que la masa rebose por arriba.
Utilizar boquillas de acero inoxidable, ya que proporcionan mejores formas que las de plástico.
Los merengues estarán en su punto cuando queden ligeros y ya no estén pegajosos.

El profesional dobla el borde superior de la manga pastelera antes de introducir la masa, de manera que, luego, ésta no rebose por arriba.

MASA DE MERENGUE

RECETA BASE

- . 4 claras de huevo (huevos tamaño L)
- . 125 g de azúcar
- . 100 g de azúcar en polvo tamizado
- . 15 g de espesante alimentario

(1) Introducir la masa en una manga pastelera y cerrarla presionando ésta ligeramente por arriba.

(2) En una fuente de horno cubierta con papel de hornear colocar tiras, formas o cestillas de masa.

(3) Templar al baño María el chocolate de cobertura para cubrir los merengues (página 47)

(4) Poner los merengues secos sobre el papel, tras untarlos en el chocolate de cobertura, hasta que éste se endurezca.

(5) Estas pequeñas setas de merengue se hacen clavando el sombrerillo en la punta del tallo untado de chocolate.

(6) Colocar la seta de pie sobre la base del tallo y espolvorearla con cacao.

(7) Para decorar con líneas o puntos verter el chocolate en un cucurucho de papel (página 46).

(8) Dejar fluir el chocolate líquido por la punta del cucurucho formando pequeñas líneas sobre el merengue...

(9) O también hacer puntitos de chocolate para decorar, por ejemplo, adornos de merengue.

(10) Creaciones con frutas: llenar una cestita hecha de merengue con frutas del bosque. Para ello...

(11) ... marinar frutas del bosque variadas en una mezcla de salsa de frambuesas y azúcar glass.

Biscuit

La masa biscuit *como base para tartas y el* biscuit *de los bizcochos de soletilla se diferencian en la consistencia y en la forma de preparación.*

(1)

TAMBIÉN DENOMINADA "pasta vienesa", batida en caliente y en frío, se convierte en una ligera masa, la que se requiere para elaborar postres especiales o tartas con sofisticados rellenos. Batiendo huevos y azúcar sobre un baño María apenas en ebullición, esta masa adquiere primero consistencia y estabilidad y después, por medio del batido en frío (sobre un baño María de agua helada) se hace esponjosa y ligera. La adición de mantequilla derretida, si se desea también tostada, hace el *biscuit* especialmente jugoso.

RECETA BÁSICA DEL *BISCUIT* PARA BASES DE *BISCUIT* (MASA VIENESA)

Preparar en primer lugar la mantequilla tostada: dorar en un puchero a fuego vivo 90 g de mantequilla y reservarla. Mezclar 5 huevos, 2 yemas y 150 g de azúcar en un recipiente al baño María caliente y batir la mezcla a mano, de 5 a 10 minutos, hasta

MASA VIENESA & BIZCOCHOS DE SOLETILLA

(1) Para bases de *biscuit* batir los huevos y el azúcar teniendo el recipiente al baño María y batir la mezcla después en frío antes de incorporar la harina y el azúcar.

(2) Distribuir la masa para bizcochos de soletilla sobre una placa de horno engrasada y enharinada.

(3) Antes de hornearlos, espolvorear los bizcochos con azúcar glass.

(4) Retirar con una espátula los bizcochos de soletilla dorados y aún calientes de la bandeja del horno y dejarlos enfriar sobre una rejilla de repostería.

que la masa esté tibia. Finalmente, poner el recipiente al baño María helado (un recipiente lleno de cubitos de hielo) y seguir batiendo hasta que la masa adquiera cuerpo y volumen. Tamizar sobre la masa 150 g de harina y 30 g de espesante y mezclarlos. Por último, incorporar la mantequilla.

Cubrir la base de un molde redondo (26 cm de diámetro) con papel de hornear. No engrasar ni enharinar el borde del molde, sólo así subirá correctamente la masa. Verter la masa *biscuit* y cocerla en el horno unos 35 minutos a 180 °C hasta que se dore. Sacarla.

Dejar enfriar el *biscuit* en el molde. Con un cuchillo recortar la masa del borde del molde, retirar el aro exterior y poner la base sobre una rejilla de repostería. Retirar el papel de hornear y cortarla a lo ancho, según el uso que se le vaya a dar, en 2 o 3 bases del mismo grosor. Los profesionales utilizan para esta operación unos cuchillos especiales para cortar *biscuit*, pero también se puede hacer con un cuchillo de sierra fina y hoja larga.

PARA LOS BIZCOCHOS DE SOLETILLA batir la masa en frío, es decir, a temperatura ambiente, no al baño María. Además, batir la yema y la clara de los huevos por separado. Así se obtiene una masa *biscuit* más ligera que con el batido caliente-frío.

RECETA BASE PARA LOS BIZCOCHOS DE SOLETILLA

Batir 4 claras de huevo a punto de nieve firme mezclando paulatinamente 80 g de azúcar (haciéndolo caer en forma de lluvia). En otro recipiente ancho, batir 6 yemas de huevo con 40 g de azúcar. Verter las claras a punto de nieve sobre las yemas batidas. Tamizar sobre esta mixtura 70 g de harina y 60 g de espesante y mezclarlo todo con el cuidado suficiente como para que la masa no pierda nada de volumen.

Para elaborar bizcochos de soletilla oscuros añadir a la masa algo de cacao en polvo. También se puede dividir la cantidad en dos mitades y añadir el cacao a una de ellas. De esta manera se pueden preparar en una misma receta dos tipos diferentes de bizcochos de soletilla.

Llenar después con la masa una manga pastelera con boquilla lisa y distribuir sobre una placa de horno engrasada con mantequilla y ligeramente enharinada tiras de masa con los extremos más gruesos. Espolvorear con azúcar glass y meterlas en el horno precalentado a 180 °C (a 170 °C en horno de aire) durante 8 o 10 minutos hasta que estén doradas.

(4)

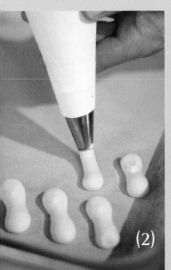

(2)

(3)

Pasta *choux*

Una exquisita masa que se deja rellenar muy bien con delicadas cremas o, como los clásicos buñuelos de viento, con nata dulce recién montada.

PARA LA RECETA BASE DE LA PASTA *CHOUX* se necesitan 125 g de mantequilla, 250 ml de leche, 1 cs de azúcar, una punta de cuchillo de sal, una pizca de nuez moscada, 200 g de harina y 6 huevos. En un cazo amplio, cocer a fuego fuerte la mantequilla con la leche, el azúcar, la sal y la nuez moscada. Echar la harina de golpe. Revolver con una cuchara de madera mientras la harina comienza a ligarse. La masa se despega formando bolas del fondo del puchero y queda en él una película blanquecina. El profesional pondrá ahora la masa en un recipiente para que se enfríe, evitando que los huevos, que ahora se mezclarán de uno en uno, cuajen.

La pasta *choux* se puede utilizar para elaborar profiteroles, *éclairs*, buñuelos o churros (receta en las páginas 180 y 193), pero también se pueden hacer formas para decorar. Con las cantidades que aquí se indican salen de 12 a 16 piezas rellenas.

Cortar la pasta siempre inmediatamente después de horneada, así se mantiene crujiente por fuera. Lo mejor es utilizar un cuchillo de sierra.

ELABORACIÓN DE LA PASTA *CHOUX*

en tres pasos

(1) **Verter de golpe** la totalidad de la harina tamizada en la mezcla de leche y mantequilla muy caliente.

(2) **Revolver enérgicamente** con la cuchara de madera hasta que la masa se separe del fondo del puchero formando una bola.

(3) **Dejar enfriar brevemente** la masa y luego incorporar, batiendo bien, uno a uno los huevos.

BOLLERÍA DE PASTA *CHOUX*

BUÑUELOS DE VIENTO

Precalentar el horno a 200 ˚C (nunca con aire caliente, la masa no aguanta corrientes de aire). Verter ½ taza de agua en la base del horno. Así se forma vapor que permite que la masa suba bien. Llenar de masa una manga pastelera con boquilla grande en forma de estrella. Formar rosetones sobre la placa de horno cubierta de papel de hornear, cuidando de que no queden muy cerca unos de otros. Hornear de 20 a 30 minutos hasta que se doren.

Cortar inmediatamente **los rosetones** con un cuchillo de sierra, así se enfriarán por dentro. Rellenarlos con nata dulce batida, espolvorearlos con azúcar glass y servir.

ROSQUITOS DE PASTA *CHOUX*

Con una manga pastelera con boquilla de estrella formar anillos de masa *choux* sobre una placa de horno cubierta con papel de hornear. Hornearlos de 20 a 30 minutos en un horno precalentado a 200 ˚C. Después abrirlos con un cuchillo de sierra.

El relleno de **crema de cerezas** es muy bueno para estos rosquitos. Para ello, marinar cerezas amargas (de bote) en un poco de agua de cerezas unas horas antes de la preparación. Rellenar los roscos de pasta *choux* ya fríos con las sabrosas frutas y nata montada (unos 500 g). Cubrir la parte superior con un glaseado de azúcar glass.

PROFITEROLES

Distribuir sobre la bandeja del horno cubierta con papel de hornear porciones de masa del tamaño de una nuez e introducir en el horno durante unos 15 minutos. Sacar y dejar enfriar.

Relleno de crema de vainilla: mezclar 125 ml de leche con 2 yemas de huevo, 50 g de azúcar y 1 cs de espesante. Rascar la pulpa de vainilla y cocer con 125 ml de leche. Unir removiendo ambas mezclas y llevar a ebullición. Dejar enfriar. Mezclar 200 g de nata montada a punto fuerte. Rellenar los profiteroles lateralmente con una manga pastelera y glasearlos con caramelo o chocolate.

ÉCLAIRS

Con una traducción literal del nombre original en francés, se llamarían "relámpagos". Distribuir la masa con una manga pastelera con boquilla de estrella. Hornear durante unos 15 o 20 minutos hasta que se doren y abrir inmediatamente cortándolos a lo largo con un cuchillo.

Clásico para *éclairs*: **relleno de moca.** Batir a punto fuerte 500 g de nata con 70 g de azúcar. Mezclar 2 ct de café instantáneo en muy poca agua y poner la mezcla en la mitad inferior de los *éclairs*. Colocar la parte superior y cubrir al gusto con glaseado de chocolate o azúcar.

Creps

PREPARACIÓN DE CREPS

Batir 150 g de harina con 75 g de azúcar, 375 ml de leche, 6 huevos y 150 g de mantequilla tostada hasta conseguir una masa suave y sin grumos. Tapar y dejar reposar alrededor de 1 hora. Antes de cocinar las creps, remover bien la masa otra vez. Verter entonces con un cucharón un poco de masa en la sartén y dejar que cubra todo el fondo de ésta. La sartén no debe estar muy caliente porque, sino, se formarán burbujas. Dorar la crep por un lado (de 30 a 60 segundos), darle la vuelta con la espátula (ver a la derecha) y dorarla por el otro lado. Poner las creps unas sobre otras en un plato cubierto por otro y mantenerlas calientes en el horno.

PRESENTACIÓN
CON SALSA DE *KUMQUATS*

Lavar 6 *kumquats* y pocharlos en almíbar 2:1 (recuadro página 139). Caramelizar 2 cs de azúcar en una sartén. Diluir con 200 ml de zumo de naranja y 100 ml de *Grand Marnier*. Cortar en trocitos los *kumquats* y añadirlos al caramelo con 2 cs de pistachos picados. Agregar 20 g de mantequilla fría en copos. Dar un hervor a la salsa y después disponer los *kumquats* con naranjas fileteadas (página 31) y acompañar con 2 cs de pistachos picados, hojas de menta y, si se desea, con una bola de helado de vainilla. Pasar las creps por la salsa y añadirlas al plato.

Helado

Con crema de caramelo o con barquillos, en el café o con frutas calientes, el helado armoniza con los ingredientes más variados.

LA CREMA INGLESA es la base de este postre lácteo de sabores tan exquisitos como la vainilla o el chocolate. Poner la máxima atención en la elaboración (ver la secuencia de pasos a la derecha); solamente así se consigue un helado realmente cremosos.

No remover demasiado enérgicamente la mezcla de yemas de huevo y azúcar ya que debe de formarse una crema espesa, pero en ningún caso espumosa. La consistencia ideal la adquiere la crema tras la adición de la mezcla de nata y leche; es entonces cuando al soplar sobre la cuchara de madera cubierta de crema se forman ondas que recuerdan a pétalos de rosas. Pero también se puede comprobar la consistencia como se indica en la fotografía de la izquierda. Antes de ponerla a helar, la crema debe enfriarse. Finalmente, dejar en la heladora de 20 a 30 minutos.

Si no se dispone de una heladora, elaborar una masa *parfait* y meterla en el congelador: para ello preparar la crema inglesa con sólo 300 ml de leche. Mezclar con la crema ya fría 400 g de nata montada e introducir la masa varias horas en el congelador.

Así se comprueba la consistencia ideal de la crema inglesa: separar con otro cubierto la capa de crema que cubre la cuchara de madera y la huella permanece sin que sus bordes vuelvan a unirse.

CREMA INGLESA

(1) Cortar a lo largo 1 o 2 vainas de vainilla y sacar la pulpa rascando con un cuchillo.

(4) Verter, sin dejar de remover, la mezcla de leche y nata sobre la crema de huevos y azúcar.

(5) Poner al baño María y remover hasta que los huevos cuajen (ver foto en la página de la izquierda).

(2) Cocer 500 ml de leche y 250 g de nata con las vainas y la pulpa. Retirar las vainas.

(3) Batir con el batidor de varillas 7 yemas (tamaño L) con 200 g de azúcar hasta lograr una crema uniforme y de bonito color amarillo.

(6) Para eliminar posibles grumos, pasar la crema inglesa por un colador fino o por un chino.

Con estos ingredientes también puede elaborarse helado de caramelo: caramelizar el azúcar, cocerlo con la mezcla de leche, vainilla y nata, verterla sobre la crema de huevos sin endulzar, etc.

Servir el helado

El helado que tiene como base la crema inglesa es muy moldeable.
Admite las más diversas presentaciones, y tanto en el café, como
formando una pirámide de bolas o en láminas, mantiene la forma
durante algún tiempo a temperatura ambiente.

ANTES DE HACER las porciones, permitir siempre que el helado se temple un poco. Su consistencia debe ser blanda. Sólo así se puede cortar bien o dar forma al helado y, además, sólo es apreciable todo su sabor cuando no está congelado.

Preparar unos cuencos con agua caliente y sumergir en ellos el cuchillo y la cuchara de bolas cada vez que se realiza un corte o se sirve una porción.

Esto es útil por dos razones: con los instrumentos calientes se corta y se distribuye mejor el helado y, además, el agua limpia los cubiertos, de manera que se pueden servir porciones de diferentes sabores sin restos de los sabores anteriores.

Finalmente, decorar los platos de helado al gusto: con barquillos, nata, crocantes, azúcar algodón o frutas, y servirlo en decorativos vasos o cuencos.

SORBETES Y GRANIZADOS

ELABORACIÓN DEL SORBETE

Los sorbetes se elaboran a partir de zumo o de *mousse* de frutas y algo de agua, vino, champán, cava u otras bebidas alcohólicas. Mezclar todo y meter en la heladora o en el congelador.

Para hacer el **sorbete de frambuesas**, triturar dichas frutas frescas o descongeladas, con azúcar en proporción 2:1. Añadir un poco de zumo de limón y tanta agua y esencia de frambuesas como para que la mezcla pueda removerse fácilmente con el batidor de varillas. Atención: ni la cantidad de azúcar ni la de alcohol deben ser altas porque la mezcla no se congelaría.

HELAR Y SERVIR

Enfriar la mezcla en la heladora de 5 a 20 minutos o ponerla en una fuente ancha y meterla en el congelador. Pasados 30 minutos, cuando la superficie se haya congelado ligeramente, remover con energía. Continuar congelando. Repetir el proceso hasta que el sorbete adquiera la consistencia deseada (al cabo de 2 a 2 ½ horas). Cuanto más lo remueva, más suave será el sorbete, pero también necesitará más tiempo para estar listo.

Servir **el sorbete** en pequeños cuencos o en una copa y regarlo con champán, *Prosecco* o cava.

ELABORACIÓN DEL GRANIZADO

El granizado se elabora a partir de los mismos ingredientes que el sorbete, pero se remueve menos. Por ello, al congelarse se forman cristales más gruesos: la palabra *granizado* viene del italiano *grano*. Cuanto mayor sea la proporción de agua tanto más granuloso será el granizado.

Para el enfriamiento, poner la mezcla en una fuente plana (como las que se utilizan para gratinar) e introducir en el congelador. Cuando el líquido comience a congelarse ahuecar pinchándolo con un tenedor. Este proceso se repetirá un mayor o menor número de veces dependiendo de lo fino que deba ser el granizado.

SERVIR EL GRANIZADO

Por ejemplo **un granizado de fresas:** preparar una mezcla de salsa de estos suculentos frutos (triturados y, si se desea, pasados por un colador), un poco de cava y zumo de lima, así como algo de azúcar glass, y congelar tal y como se ha indicado.

Verter el granizado en unas copas bonitas y decorarlas, por ejemplo, con unas hojitas de menta, unas frambuesas y una espiral de chocolate (página 48).

Frutas exóticas y frutas del sur

Muchas frutas de los países del sur son ya, en sí mismas, un placer para la vista y, por lo tanto, muy apropiadas como sabrosa decoración para postres.

SI DISPONE DE POCO TIEMPO y no quiere renunciar a un postre para terminar su menú, siempre podrá echar mano de una ensalada de frutas exóticas, quizás con un poco de nata líquida dulce o con una crema de *mascarpone*. Ya se trate de piña, mango o melón, son frutas que se preparan rápidamente y resultan muy decorativas.

Como acompañamiento para todo tipo de postres, sobre todo para el helado y las cremas, son adecuadas las cortezas (tiras de piel de frutas) cocidas en almíbar (ver página 55). Utilizar para ello frutas de cultivo biológico, las únicas cuya cáscara es apta para el consumo. También son muy bonitas las rodajas de carambolas o los granos de la granada.

COMPRAR Y ALMACENAR

Las frutas de regiones tropicales o subtropicales se pueden comprar también en el supermercado. Se debe prestar especial atención a la calidad de estas frutas, ya que en la mayoría de los casos han tenido que recorrer un largo camino. Lo mejor es dejarse aconsejar por el frutero. Muchos de estos productos se cosechan verdes y tienen que madurar durante el transporte. Otros solamente pueden cosecharse cuando están maduros. Si la fruta se manipula con negligencia durante el camino hasta el consumidor, influye negativamente en su sabor y aroma. Por lo tanto, es mejor no comprar frutas exóticas a precios de oferta si todavía están verdes.

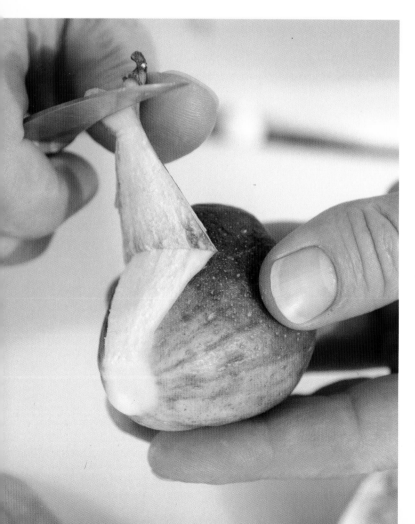

Pelar un higo maduro cortando la punta con un cuchillo curvo y tirando con cuidado de la piel exterior.

INSTRUMENTOS Y MANIPULACIÓN DE LA FRUTA

. Acanalador de frutas: con pequeños y afilados orificios para extraer tiras finísimas de los cítricos.

. Cuchara de bolitas o vaciador: para cortar la carne de las frutas modelando bolitas o formas ovaladas.

. Pelapatatas (o pelador): con él se pueden pelar frutas de piel fina.

. Descorazonador: para vaciar fácilmente distintas frutas.

(1) Partir la granada por la mitad, doblar cada porción y dejar caer los granos; retirar la parte blanca.

(2) Si se necesita el zumo de la granada, presionar los granos con ayuda del exprimidor de zumos.

(3) Con un cuchillito curvo retirar los bordes marrones de la carambola.

(4) A continuación cortar la carambola en delgadas láminas. Es apropiada como acompañamiento.

(5) Cortar el mango a lo largo de la semilla y hendir la carne formando rombos.

(6) Presionar la cáscara por debajo de manera que la carne, dividida en rombos, salga hacia fuera

(7) Otra posibilidad sería pelar todo el mango y cortar la carne en rodajas.

(8) Para filetear una naranja, quitar la corteza junto con la parte blanca pelándola generosamente.

(9) Cortar en láminas la carne del interior de los gajos y extraerla con cuidado.

(10) Estrujar el resto de la fruta con la mano sobre un colador (por si hay pepitas) y recoger el zumo.

(11) Con el acanalador de frutas, extraer, formando finísimas tiras, la corteza de cítricos de cultivo biológico.

PREPARAR UNA PIÑA

En esta secuencia de fotografías se muestra, utilizando una piña *baby*, cómo confeccionar una cestita de piña cortando la carne de la fruta en trozos listos para comer. Primero se corta el fruto, junto con las hojas, longitudinalmente en cuartos.

Retirar ahora la carne de la fruta sin separar el eje central de la piña de su corteza. Para ello, cortar con un cuchillo afilado la parte interior del eje hasta casi el extremo inferior.

Desde la base hasta la punta de las hojas, una piña puede medir 50 cm de alto y alcanzar un peso de hasta 4 kg. Las piñas se pueden comprar en cualquier supermercado. Se importan sobre todo de países de África o Sudamérica. Las tiendas de *delicatessen* y las fruterías ofrecen además piñas *baby* o enanas (fotografías arriba), que miden unos 12 cm y pesan como máximo 500 g. Son ideales cuando sólo se necesita una pequeña cantidad de piña para una receta o para una ensalada de frutas.

CALIDAD Y ALMACENAMIENTO

La corteza verdosa, o marrón amarillenta, de la piña es inodora, pero nos da algunas pistas acerca de la calidad de la fruta. Cuanto más nítido sea el relieve de los "ojos" y más pequeños sean éstos, tanto más aromática, dulce y jugosa será la carne de esta fruta ligeramente fibrosa que, según el tipo, puede ser de color amarillo o rojizo. Una piña madura se reconoce también por su intenso perfume, que donde mejor se aprecia es en la

Después, separar la carne de la corteza por los lados, introduciendo el cuchillo hasta la mitad y procurando ser generoso, ya que directamente bajo la corteza se encuentra la carne más aromática.

Cortar la carne extraída en trozos alargados del mismo tamaño, colocarlos de nuevo en la corteza de piña disponiéndolos unos frente a otros, de manera que resulte más fácil cogerlos, y servirlos. Se pueden presentar en un plato, pero también son adecuados para un bufé.

base del tallo. La piña se debe conservar en un lugar fresco y seco a unos 8 °C, es decir, no en el frigorífico.

LA PIÑA EN LA REPOSTERÍA

Dado que sabe tan bien y además es tan decorativa, se puede emplear de muy diversas maneras en repostería. Utilizar la piña preferiblemente fresca y sola o en macedonias de frutas o en compotas. No obstante, se ha de tener en cuenta que las cremas preparadas con gelatina y piña fresca nunca cuajan del todo debido a una encima que contiene la fruta y que se llama bromelina. En este caso, es mejor que utilice el *gelificante* vegetal agar-agar.

Si desea utilizar una piña como decoración puede partir por la mitad un fruto grande con su "corona", vaciarlo y utilizarlo como cuenco para un postre. Arriba, en las fotografías, se muestran diferentes ideas para servir piñas.

Salsas de frutas

SE LLAMA *coulis* a la base triturada para sopas y salsas de cualquier tipo. Pueden estar compuestas por el jugo de carne o de pescado así como de zumo de frutas o verduras. En repostería se utilizan especialmente los *coulis* de frutas. Acompañan maravillosamente a postres de leche y huevos como la *panacota* (página 110), la crema *bavarais* (recuadro página 99) o el helado de vainilla. Si el *coulis* se utiliza como base decorativa para el postre hablaremos de un espejo de salsa.

ELABORACIÓN DEL *COULIS* DE FRUTAS

Un *coulis* se puede elaborar casi con cualquier fruta, pero las bayas (los frutos del bosque) son las que mejor se prestan a ello, sólo es necesario triturarlas y luego pasarlas por un chino. Esto se puede hacer también con frutas en conserva. Las frutas más duras, como por ejemplo la piña, se pican bien antes de triturarlas.

Ideales y llenas de color son también las frutas exóticas como el mango o el kiwi, cuya carne únicamente hay que triturarla y luego colarla por un chino. Se puede añadir al *coulis*, si se desea, un poco de azúcar glass (se mezcla especialmente bien con el puré de frutas), o el zumo de limón o lima.

Preparando diferentes y coloridas salsas de frutas se dispondrá de muchas y bonitas posibilidades de presentación.

Para pasar los purés de frutas, utilizar un chino y un pomo ancho. Los pedazos más gruesos quedarán en el colador y así obtendremos un coulis muy suave.

Consejos del profesional sobre el tema

Lo mejor es preparar al mismo tiempo varias salsas de frutas de diferentes colores. Esto permitirá ahorrar tiempo y brindará la posibilidad de elaborar postres y presentarlos sobre salsas de diversos matices (véanse ejemplos en la página 37). Es aconsejable conseguir unas botellas dosificadoras, ya que con ellas se pueden distribuir las salsas con más precisión. En las tiendas de menaje se pueden adquirir todos los tamaños de este tipo de botellas. Hasta el momento de su utilización, mantener las salsas de frutas en envases herméticos en el frigorífico. Así se conservarán varios días. Si se desea preservar *coulis* de frutas durante más tiempo, se deben congelar. Lo ideal es hacerlo en porciones de 250 ml. Una vez descongeladas, lo mismo que al sacarlas del frigorífico, remover bien las salsas para que tengan una consistencia homogénea.

Salsas de frutas

*Triturar, colar y decorar de mil maneras con coulis de frutas
no es ningún arte y, sin embargo, el resultado se ve muy profesional.*

LAS SALSAS DE FRUTAS, llenas de color, son un complemento maravilloso de muchos postres. No sólo porque el efecto es bonito, sino porque su fresco sabor afrutado es el perfecto equilibrio para cremas y helados.

Si se quiere combinar *coulis* de frutas de diversos tipos es imprescindible prepararlos por separado y, al hacerlo, tener cuidado de que todos tengan una consistencia similar, para que al decorar no se mezclen unos con otros. En principio, los *coulis* de frutas no deben ser muy líquidos.

Para distribuir las salsas utilizar preferiblemente dosificadores de plástico o cucuruchos de papel encerado. Estos últimos se pueden hacer fácilmente (página 37, pasos 5 y 6). Dejar que fluyan hilos de salsa por la punta recortada del cucurucho. Para decorar las salsas de frutas con líneas o puntos son adecuados los productos lácteos como el yogur o las natas frescas con alto porcentaje de grasa, que se pueden endulzar con azúcar glass o con sirope.

Los postres lácteos como la panacota (nata cocida) servidos sobre un espejo de salsa de frutas resultan extraordinariamente decorativos, como salidos de la cocina de un profesional.

ACOMPAÑAMIENTO DE SALSAS DE FRUTAS

(1) Con ayuda de la botella dosificadora, decorar la salsa de mango con puntos de nata líquida y puntos de una salsa más oscura.

(2) Con un palillo, trazar una línea a través de los puntos.

(3) O, por ejemplo, hacer un dibujo con el extremo más grueso de la varilla del batidor en el borde de las salsas.

(4) Si desea una base llena de color, todas las salsas deberían tenen la misma consistencia.

(5) Para hacer un cucurucho de papel pergamino cortar un triángulo isósceles y enrollarlo...

(6) ... doblar el borde superior, echarle la salsa y cortar la punta.

Verter la salsa de frutas en la botella dosificadora con ayuda de un embudo y conservarla en el frigorífico hasta su utilización.

BARQUITAS DE BARQUILLO

(**1**) Con ayuda de una espátula en ángulo, extender bien y uniformemente la masa de barquillo sobre la plantilla. Si se desea, se puede poner en el borde de la masa una tira de masa con cacao utilizando la manga pastelera de papel (elaboración de la manga pastelera en página 37, pasos 5 y 6). Hornear la masa como se explica en la receta base.

(**2**) Con una espátula, levantar de la placa de horno las piezas de masa de barquillo todavía calientes y colocarlas en los moldes de barquitas. Presionar ligeramente con los dedos y, después, darle la forma definitiva con ayuda de una segunda barquita de metal.

Barquillos

Las clásicas copas de helado se coronan a menudo con canutillos o abanicos de barquillo. Pero con la suave y crujiente masa de barquillo se pueden hacer otras muchas recetas exquisitas.

RECIÉN SALIDO DEL HORNO, el barquillo es blando y moldeable. Así se puede enrollar, retorcer, o permite forrar cuencos formando cestillos, o también, como se muestra en la página 118, transformarse en cucharas comestibles. Al enfriarse es cuando se endurece la masa. A continuación se muestra cómo elaborar barquitas de barquillo como recipiente comestible para postres de helado o de fruta. Para ello se requieren varias barquitas de metal que se pueden adquirir en tiendas de menaje.

FABRICACIÓN DE MOLDES PARA BARQUILLOS

Recortar una plantilla fina dejando un margen generoso alrededor del contorno. Como material son adecuadas las tapas de plástico de los recipientes de alimentos o también la goma celular (en tiendas de bricolaje). Al recortar, dejar un margen suficiente para poder sujetar convenientemente el patrón.

RECETA BASE DE LA MASA DE BARQUILLO

Preparar una masa con 100 g de miga de mazapán cruda, 50 g de almendras en polvo, 100 g de azúcar glass, 1 huevo, 2 claras, 40 g de harina, 2 cs de nata, una pizca de sal y algo de canela. Si desea preparar barquitas especialmente decorativas de 2 colores, separar 2 cs de la masa. Dar color a esta porción de masa con un poco de cacao (espolvorear por encima y mezclar).

Para poder trabajar con la espátula sin estorbos, lo mejor es utilizar la parte inferior de la placa de horno, engrasándola y enharinándola. Aplicar la masa sobre el patrón como se muestra abajo a la izquierda. Cocer de 8 a 10 minutos en horno precalentado a 185 °C.

(1)

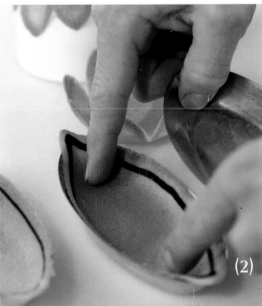

(2)

Preparación de masa quebrada

La masa quebrada debe trabajarse con rapidez para que no se caliente. Por eso, los profesionales utilizan láminas de amasar, también llamadas rasquetas, para mezclar los ingredientes.

LAS TARTAS Y LAS TARTELETAS, así como otros postres rellenos, se preparan en repostería con masa quebrada. Puede usted preparar la cantidad que desee de esta masa siguiendo la fórmula 1 – 2 – 3: 1 parte de azúcar, 2 partes de grasa, 3 partes de harina. El azúcar, preferiblemente glass, hace la masa especialmente suave. Si la masa queda un poco seca, añadir algo de agua o un huevo (ver la receta más abajo).

RECETA BASE

Para un molde de 26 cm de diámetro o para 12 moldes de tartaletas necesitará usted 100 g de azúcar glass, 200 g de mantequilla fría en dados, 300 g de harina, 1 huevo y una pizca de sal. Poner la harina sobre la superficie de trabajo y, sobre ella, el resto de los ingredientes. Mezclarlos bien utilizando al principio 2 rasquetas de amasar. Luego usar las manos y amasar con rapidez, añadiendo, si fuera necesario, un poco de agua, hasta conseguir una masa suave. Formar una bola con ella, cubrirla con papel *film* transparente y ponerla sobre un plato al fresco durante 30 minutos. Después, extender la masa sobre la superficie enharinada con un rodillo y forrar el molde o las tartaletas. Recortar los bordes utilizando una espátula de glasear (ver fotografía de la izquierda) o con el reverso de un cuchillo. Pinchar la masa varias veces con un tenedor.

HORNEADO A CIEGAS O SIN RELLENO

Solamente en los moldes muy pequeños no hay que hornear primero la masa quebrada. En todos los demás casos proceder como se ha indicado más arriba, cubriendo la masa dentro del molde con papel de hornear. Poner sobre el papel legumbres secas (para impedir que la masa suba) y hornear a 180 ˚C de 10 a 12 minutos. Sacar del horno, retirar el papel y las legumbres. La masa quebrada está ya precocinada y así, cuando se ponga el relleno, no se reblandecerá tan rápido.

RELLENO

Clásico y delicioso es el relleno de crema de limón: mezclar 3 huevos, 100 g de azúcar, el zumo y 2 cs de ralladura de 2 limones de cultivo biológico; añadir 120 g de nata batida a punto firme, verter en el molde cubierto de masa quebrada y hornear de 30 a 45 minutos a 160 ˚C. Rematar el postre como un auténtico profesional espolvoreando la tarta con azúcar moreno y caramelizándola con un soplete de pastelero (página 153) o poniéndola en el gratinador.

CONSERVACIÓN

La masa quebrada se puede preparar con antelación, ya que se conserva en el frigorífico de 1 a 2 días en una caja hermética. También se puede congelar.

MASA QUEBRADA

(1) Para mezclar los ingredientes son adecuadas las rasquetas de plástico que pueden comprarse en tiendas especializadas en repostería.

(2) Para el horneado a ciegas, se ponen legumbres secas sobre el papel de hornear que cubre la masa.

(3) Después del primer horneado, poner el relleno (en este caso crema de limón) en el molde y terminar de hornear la tartaleta.

Sabayon

Lo que en Francia se llama sabayon y en Italia zabaione, es una crema espumosa de vino, y, como tal, debe ser ligera y espumosa.

EL CLÁSICO *SABAYON* francés se prepara con 3 yemas de huevos frescos, 100 g de azúcar y 125 ml de vino blanco seco. Batir las yemas de huevo con el azúcar en un recipiente, que luego se pueda introducir al baño María, hasta conseguir una mezcla cremosa. Poner luego el recipiente al baño María muy caliente y añadir el vino. Batir la mezcla con las varillas hasta que esté espumosa y adquiera la consistencia de unas natillas. Esto se consigue a una temperatura de 70 °C, por lo que no hay que dejar de batir demasiado pronto. Podrá darse cuenta perfectamente de cómo la masa va adquiriendo consistencia poco a poco si se trabaja con el batidor de mano. Retirar inmediatamente el recipiente del baño María y servir el *sabayon* enseguida, aún templado, o enfriarlo batiéndolo de nuevo sobre un baño María helado.

De esta misma manera se puede preparar un *sabayon* con vino tinto o con zumo de frutas.

Verter el sabayon templado en las copas o batirlo de nuevo en un baño María helado. En cualquier caso, servirlo inmediatamente.

SABAYON

algo ligero

(1) **Mezclar bien** las yemas de los huevos con el azúcar, después añadir el vino.

(2) **Al baño María,** batir con el batidor de varillas haciendo que entre mucho aire en la masa.

(3) **El *sabayon* estará listo** cuando la masa adquiera consistencia.

El chocolate en la repostería

El chocolate es ingrediente de cremas, salsas, pasteles... y es perfecto para lograr vistosas guarniciones.

LA COBERTURA ES EL TIPO de chocolate preferido para postres y pastelería. Se distingue del chocolate normal por su más alto contenido en manteca de cacao. La grasa del cacao, que es sólida a temperatura ambiente, es la responsable de la mayor o menor liquidez del chocolate derretido. Así pues, gracias a ella se consiguen esos bonitos glaseados de pasteles o de frutas. La cobertura tiene que tener como mínimo un 31% de manteca de cacao, en cambio, el chocolate normal, sólo un mínimo del 18%.

POSTRES CON AROMA DE CHOCOLATE

Para la elaboración de salsas, de la *mousse*, el helado o los rellenos de chocolate, se puede utilizar sin problemas el chocolate normal, ya que, en estos casos, no entra en cuestión la fluidez que pueda tener, sino que, sobre todo, importa su sabor. Así que se pueden elegir chocolates de alta calidad con diferentes aromas, al gusto personal de cada uno.

GUARNICIONES DE CHOCOLATE

La cobertura líquida puede utilizarse para glasear postres pero también para hacer atractivas decoraciones, por ejemplo, velas, escamas o adornos con hilos de chocolate (ver página 48).

Incluso se puede decorar con chocolates de 2 colores como muestra la fotografía de la página 160. Para ello extender primero sobre papel de hornear una capa fina de cobertura líquida oscura y dejar enfriar un poco. A continuación, pasar una rasqueta dentada por la superficie y aguardar a que las líneas de chocolate se solidifiquen. Verter por encima un poco de cobertura líquida blanca y alisarla con una rasqueta de manera que vuelvan a verse las líneas de chocolate oscuro. Una vez sólido, puede usted cortar el chocolate a rayas de la forma que desee.

Racionar la cobertura

Los profesionales utilizan la cobertura en forma de grandes lentejas. Son muy prácticas a la hora de hacer porciones. También se puede hacer, simplemente, troceando la tableta de cobertura con un cuchillo grande.

Rascando con el envés de un cuchillo corto una tableta de chocolate pueden obtenerse rápidamente finas escamas.

Trabajo con cobertura

El chocolate destinado a envolver, completar y adornar un postre
precisa de mucho cuidado en su preparación.

LA COBERTURA es tan suave y brillante porque los ingredientes están cuidadosamente mezclados entre sí. Si la cobertura se va a utilizar para cubrir, hay que deshacer primero esa unión de las materias primas. Al derretir la cobertura cortada (los profesionales trabajan con perlas, paso 1, a la derecha), se separan la manteca de cacao, la sustancia seca del cacao y el azúcar. Si simplemente dejáramos enfriar la cobertura, se formarían en la superficie estrías o una especie de escarchado, señal de que se han separado los componentes.

Para lograr una cobertura brillante y apetitosa hay que volver a unir los ingredientes en un segundo paso. Con esta finalidad, se "atempera". La cobertura deberá templarse utilizando un termómetro digital (como se muestra en la página 47): derretir el chocolate y dejar luego que se enfríe hasta los 25 °C, calentarlo de nuevo, siempre removiendo, hasta los 32 °C. A esta temperatura vuelven a mezclarse perfectamente las materias primas que lo constituyen.

Para decorar con chocolate líquido, verter
la cobertura líquida en un cucurucho para
decorar (ver página 37) o en una bolsa de
congelar de la que cortará luego la punta
inferior.

(**1**) Derretir la cobertura al baño María con cuidado de no sobrepasar los 40 °C.

DERRETIR Y TRABAJAR CON COBERTURA

(**2**) Dejar enfriar la cobertura, removiendo, hasta los 25 °C, es decir, hasta que los bordes empiecen a solidificarse.

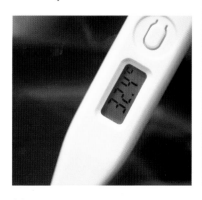

(**5**) Extender con la espátula de glasear en una capa fina. Dejar que temple y cortar o troquelar las formas.

(**3**) Finalmente, calentar la cobertura de nuevo a 32 °C. Entonces estará lista para su utilización.

(**4**) Para hacer formas de chocolate planas verter la cobertura derretida sobre papel para hornear.

(**6**) Derretir la cobertura para cubrir *petits fours* siguiendo el mismo proceso descrito a la izquierda.

También se puede comprobar si la cobertura derretida se ha enfriado hasta los 25 °C si, tocando levemente con el labio inferior, el chocolate que cubre la cuchara de remover se nota frío.

GUARNICIONES CON CHOCOLATE

REJILLA DE CHOCOLATE

La cobertura derretida se moldea muy bien en caliente y, con algo de habilidad, se podrán conseguir bonitas decoraciones con chocolate: rejillas de chocolate para cubrir o adornar postres de frutas, de crema o helados. Si se desea, también pueden rellenarse, por ejemplo, con frutas del bosque.

Para su elaboración, derretir el chocolate de cobertura como se explica y se muestra en las páginas 46 y 47. Entretanto, poner sobre papel pergamino (o papel de hornear) varias tiras de papel transparente rígido de unos 15 cm de largo y de 3 a 4 cm de ancho. Se encuentra en tiendas de artículos para el hogar. También se puede utilizar el papel transparente de bolsas archivadoras.

Poner el chocolate derretido en un cucurucho de papel y trazar líneas oblicuas muy juntas entre sí sobre las tiras de plástico. Hacer lo mismo en la otra dirección, de manera que se forme una rejilla.

Dejar que el chocolate se temple un poco, levantar luego con cuidado las tiras de plástico. Unir los extremos, dejando el chocolate en la parte exterior, con un clip de oficina. Aguardar a que el chocolate se solidifique del todo antes de separarlo delicadamente del plástico.

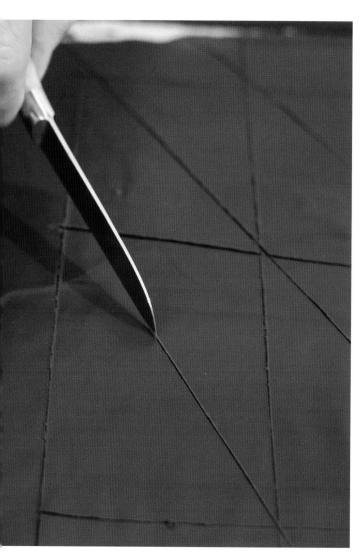

VELAS DE CHOCOLATE

Las formas geométricas delgadas de chocolate son especialmente adecuadas para decorar *mousses*, cremas y helados, ya que en estos postres pueden clavarse y quedar de pie.

Para hacerlas, extender la cobertura derretida sobre papel de hornear o papel pergamino como se muestra en el paso 5 de la página 47. Dejar templar un poco el chocolate, dividirlo después formando rectángulos con un cuchillo y, luego, marcando una línea diagonal, cortar éstos en triángulos. Dejar que se solidifique completamente antes de partirlo.

CHOCOLATE ROTO

También el chocolate cortado de forma irregular resulta decorativo en un plato de postre. Tanto más si, como aquí, está "salpicado" de trocitos de granos de café (ver también la receta de la página 100).

Para ello, extender la cobertura derretida con una espátula en una capa de 2 a 3 ml de grosor como se explica en el paso 5 de la página 47. Esparza después los granos de café triturados en trocitos no muy finos. Deje que el chocolate se solidifique en el frigorífico y pártalo luego en trozos irregulares presionando con la mano.

Suflé

Con vainilla, cacao, frutas o limón, el suflé es un maravilloso y ligero cierre para cualquier menú.

LAS CLARAS A PUNTO DE NIEVE son las responsables del ligero relleno de un suflé. La masa espumosa se levanta en el horno porque el aire que contiene el punto de nieve se calienta y se expande. Además, las burbujas crecen de tamaño por el agua que se evapora de la masa, de manera que un suflé puede aumentar hasta dos veces su volumen. Como mejor sube la masa es en moldes de paredes lisas y verticales.

En el calor del horno la masa va llenando poco a poco las burbujas, de manera que el suflé adquiere una determinada consistencia. No abrir el horno durante el proceso de cocción: el aire frío haría que las burbujas disminuyesen de nuevo de tamaño y el suflé se hundiría, ya que la estructura de claras que lo sostiene no es aún lo suficientemente estable.

TRABAJAR LAS CLARAS A PUNTO DE NIEVE

Mezclar las claras batidas a punto de nieve firme con la masa de base poco antes del horneado. Esto se realiza, emulando a los profesionales, de la siguiente manera: mezclar primero con el batidor de varillas aproximadamente ¼ de las claras a punto de nieve, esto hace la masa de base más ligera y, con ello, más receptiva al resto de las claras batidas. A continuación, incorporar el resto de las claras cuidadosamente con la cuchara de madera.

RECETA BASE: SUFLÉ MÁRMOL

Precalentar el horno a 180 °C con una placa de horno dentro (parte central) que contenga un poco de agua. Preparar de 6 a 8 moldes pequeños de suflé tal como se muestra y se explica más abajo. Poner después 200 g de queso *quark* en un paño de cocina limpio y exprimirlo retorciendo el trapo por los extremos. Mezclar 3 yemas de huevo con 30 g de azúcar hasta que queden cremosas. Añadir el *quark* y dividir la masa en dos porciones iguales. Agregar a una de las mitades 1 cs de cacao en polvo y 1 cs de leche.

Batir 4 claras de huevo a punto de nieve firme (ver página 13) y mezclar la mitad de éstas con la mezcla oscura de *quark* y la otra mitad con la mezcla de color claro. Llenar los moldes de suflé y decorar como se muestra abajo en el paso 3. Golpear un par de veces con la base de los moldes sobre la superficie de trabajo para que se llenen los moldes como es debido.

Cocer el suflé en un horno caliente durante unos 20 minutos. Para que los moldes no se tambaleen sobre la bandeja en el horneado, poner 2 capas de papel de cocina. Los suflés estarán hechos cuando hayan subido y estén muy ligeramente tostados por arriba. Servir inmediatamente espolvoreados con azúcar glass.

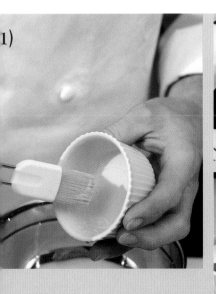

PREPARAR LOS MOLDES Y LLENARLOS

(**1**) Con ayuda de un pincel de cocina untar los moldes con mantequilla blanda.

(**2**) Haciendo girar el molde, repartir uniformemente el azúcar por la superficie engrasada y retirar el azúcar sobrante dando unos ligeros golpecitos.

(**3**) Llenar los moldes con ambas masas utilizando una cuchara sopera y mezclarlos entre sí con un palito. Al revolver no toque el fondo de los moldes, pues si lo hace la masa no subirá como debiera.

TRANSFORMAR EL AZÚCAR EN CARAMELO es algo muy habitual en repostería. Lo que lo hace tan atractivo es que el caramelo líquido se solidifica al enfriarse y que tiene un aroma muy especial.

El dulzor neutro de los cristales del azúcar blanco adquiere, al cocer, un característico matiz tostado más o menos fuerte según el punto de caramelo que se le dé. Y este matiz armoniza muy bien con las más variadas frutas, como la manzana, el plátano, la naranja, las cerezas o los higos. También las cremas, incluidas las heladas, pueden mejorarse y completarse con caramelo. Ejemplos conocidos son los flanes (en la página 144 hay una variante de la receta) y la crema tostada (página 153). Si se quiere evitar que el caramelo se endurezca al enfriarse, simplemente ha de disolverse con la misma cantidad de líquido. Se obtiene así un almíbar que luego se puede aromatizar al gusto.

Polifacético almíbar

Aunque en la cocina cotidiana se utiliza fundamentalmente el azúcar cristalizado, existen también gran número de recetas para las que el almíbar, azúcar cocido en agua, resulta ser el edulcorante más adecuado. Cuando el azúcar se halla en estado líquido se pueden endulzar, una vez hechas, salsas, cremas u otros postres no sólidos. Esto resulta especialmente práctico en el caso de postres fríos en los que cuesta más diluir el azúcar cristalizado. El azúcar cocido en agua se denomina en el ámbito profesional almíbar o también azúcar clarificado. El término viene de cuando aún no existía el azúcar refinado, de manera que había que limpiarlo (clarificarlo) cociéndolo en agua y retirando las impurezas junto con la espuma que arroja el almíbar al hervir.

Los siropes de azúcar más utilizados se elaboran a partir de agua con azúcar en relación 1:1 y 2:1 (ver página 139), la última mezcla también se llama almíbar ligero.

Quien desee adentrarse más profundamente en el arte de cocer y trabajar el azúcar para hacer, por ejemplo, azúcar hilado o de hebra tendrá que contar con un termómetro para azúcar. Su escala va hasta más de 160 °C. Es necesario porque las propiedades del sirope de azúcar varían según su temperatura. Por ejemplo, el azúcar hilado no debe calentarse a más de 140 °C (ver ejemplos de decoración en página 144).

DECORACIÓN CON SIROPE DE CARAMELO

Con el azúcar caramelizado muy caliente pueden moldearse diversas formas que permanecerán cuando, al enfriarse, se solidifique.

Aquí se describe la elaboración de una cestilla: engrasar con aceite la parte exterior de un cucharón de sopa. Derretir 100 g de azúcar en un cazo (no demasiado grande porque el azúcar se tostaría muy rápidamente) a fuego fuerte, sin revolver, pues el azúcar impregnaría la cuchara fría, pero balanceando el cazo ligeramente. Los profesionales añaden un poco de glucosa para suavizar el caramelo líquido. Con la ayuda de una cuchara sopera dejar caer hilos de azúcar, trazando líneas largas sobre el cucharón y haciendo que se crucen entre sí (fotografía de arriba). Dejar que el azúcar se enfríe y solidifique. Enfriar el cucharón un momento poniendo cubitos de hielo en su interior y retirar la cestilla con cuidado (fotografía de la izquierda). Es posible que no salga bien la primera vez, pues el azúcar caramelizado es muy frágil.

DECORAR CON AZÚCAR

RODAJAS DE FRUTAS ESCARCHADAS

Para hacer frutas escarchadas son adecuados, entre otros, los cítricos, la manzana, la pera o también la carambola. Lo mejor es trocear las frutas en láminas muy finas con la máquina de cortar fiambre. Poner las rodajas sobre un tapete de amasar espolvoreado con azúcar en polvo (las bases de amasar de silicona se pueden adquirir en tiendas de artículos del hogar). El papel de hornear no es adecuado como base porque las frutas se pegarían a él.

Tras espolvorear las rodajas de frutas con azúcar en polvo meterlas en el horno a 50 °C o 60 °C (aire) y dejarlas de 3 a 4 horas hasta que se sequen y queden crujientes.

PÉTALOS AZUCARADOS

Constituyen una guarnición aparte para postres delicados y armonizan especialmente bien con cremas, espumas y pasteles rellenos. Siempre se deberán utilizar pétalos, por ejemplo de rosas, no fumigados. Pero también se pueden usar flores comestibles completas, por ejemplo violetas.

Untar los pétalos en claras de huevo batidas con azúcar, ponerlas sobre una base de amasar y espolvorearlas con azúcar glass. Dejar que el rebozado se seque en el horno de aire caliente a 60 °C entre 1 y 2 horas. Comprobar de vez en cuando con el dedo si está seco.

ENCAJE DE AZÚCAR

Con esta mezcla de azúcar horneada se consigue un
sorprendente efecto de encaje. Queda muy bien sobre
los elementos oscuros o de color vivo de un postre.

Preparación: cocer 20 g de mantequilla con 225 g de
fondant y 150 g de glucosa (ambos se pueden comprar en
tiendas especializadas en repostería). Extender la mezcla
sobre un tapete de amasar, dejarla enfriar, romperla
despúes y molerla. Pasar el polvo por un tamiz sobre la
base de amasar y derretirla en el horno durante
2 minutos a 185 °C con calor arriba y abajo.

CORTEZAS DE CÍTRICOS EN SOLUCIÓN DE AZÚCAR

Las cortezas de cítricos cocidas en una solución de
azúcar adquieren un intenso aroma. Con ellas se pueden
decorar, por ejemplo, cremas frías y calientes.

En la fotografía de arriba se utilizan tiras de cáscara de
naranjas de cultivo biológico. Ponerlas en un cazo con 100
ml de licor *Campari*. Añadir 200 g de azúcar y poner todo
a cocer de manera que se disuelva el azúcar. Retirar el cazo
del fuego, aromatizar la mezcla al gusto con clavo, canela o
anises, dejar enfriar y sólo después retirar las cortezas.

RECETAS
Postres para sibaritas

Postres de fruta

Sopa fría de frutos del bosque con espuma de canela

PARA 4 RACIONES
PREPARACIÓN 30 min.

PARA LA TARRINA
· 200 g de puré de bayas (ver recuadro)
· 100 ml de vino tinto (por ejemplo *Côtes du Rhone*)
· 90 g de azúcar
· el zumo de 1 limón
· ralladura de ½ limón de cultivo biológico
· 1 hebra de melisa
· 15 g de flan de vainilla en polvo
· 200 g de frutos del bosque frescos (por ejemplo, frambuesas, grosellas y arándanos).

PARA LA ESPUMA DE CANELA
· 200 g de nata
· 1 palo de canela
· 1 yema de huevo, 40 g de azúcar

Para hacerlo con un aroma alternativo a la melisa, utilizar una rodaja de jengibre fresco.

1. Poner en un cazo el puré de frutos del bosque, el vino tinto, el azúcar, el zumo y la ralladura de limón y la melisa picada y cocerlo todo junto.

2. Mezclar el flan de vainilla en polvo con 4 cs de agua, eliminar los grumos y verter, removiendo, en el caldo anterior. Darle un hervor y, sin dejar de remover para que no se forme nata, ponerlo en un baño María helado (ver truco página 151) para que se enfríe. Pasar entonces la mezcla fría por el chino. Limpiar y seleccionar los frutos del bosque; lavarlos y escurrirlos, añadirlos a la mezcla y reservar.

3. Para hacer la espuma de canela poner a hervir la nata con el palo de canela. Mezclar bien la yema con el azúcar. Verter después la nata hervida sobre la mezcla de yema y azúcar y revolver bien. Enfriarlo todo removiendo sobre un baño María helado.

4. Repartir la sopa en 4 platos hondos. Retirar el palo de canela de la salsa y batirla con el batidor eléctrico hasta que quede espumosa. Finalmente, distribuir la espuma sobre la sopa fría.

Elaboración del puré de frutas del bosque

Seleccionar 200 g de bayas (frambuesas, grosellas, moras, arándanos y/o endrinas), ponerlas en un colador y lavarlas bajo el chorro de agua fría. Dejar escurrir. Cocer con 50 ml de agua y 1 cs de azúcar. Triturar la mezcla y pasarla después por el chino.

Gelatina de frutos del bosque

PARA 6 U 8 RACIONES
PREPARACIÓN 15 min.
+ ENFRIAR 1 hora y 30 min.

INGREDIENTES
· 4 hojas de gelatina
· 250 ml de puré de frutas del bosque
  (ver truco en la página 61)
· 125 g de nata fresca, 125 g de queso *quark*
· 3 cl de *Crème de Cassis* (licor de grosellas)
· unas 3 cs de almíbar 2 :1
  (ver recuadro en la página 139)

ADEMÁS
· un molde de 700 ml de contenido
· 150 g de frutas del bosque variadas, frescas
  o congeladas (por ejemplo grosellas,
  frambuesas, moras...) y azúcar para decorar.

1. Ablandar la gelatina en agua. Entretanto, calentar el puré de frutas del bosque y añadirle la nata líquida y el *quark*. Echar la *Créme de Cassis* y endulzar al gusto con almíbar.

2. Exprimir la gelatina reblandecida y mezclarla de manera que se disuelva y se reparta uniformemente. Verter la mezcla en el molde y enfriar alrededor de 1 ½ horas hasta que cuaje.

3. Antes de servir, sumergir brevemente el molde en agua caliente. Volcar después con cuidado la jalea de frutas del bosque (ver truco en la página 75), cortarla en láminas y servirla en los platos con frutas del bosque azucaradas.

SUGERENCIA DE PRESENTACIÓN: queda muy bien con nata montada o con el helado de chocolate blanco de la página 135.

Carpaccio de peras y manzanas con ensalada de hierbas aromáticas

1. Mezclar el aceite de hierbas aromáticas en un bol con el zumo de limón y añadir la jalea de membrillo. Mezclar todo bien con el batidor eléctrico hasta lograr una salsa homogénea.

2. Lavar las peras y las manzanas, secarlas, extraerles el corazón con un vaciador de frutas y cortarlas en finas láminas. Lo mejor es hacerlo con el rebanador de patatas.

Hierbas aromáticas silvestres

Desde la primavera hasta el otoño puede recolectar usted mismo las más variadas hierbas aromáticas silvestres, como diente de león, margarita, trébol rojo, acedera.... También los viveros le ofrecen una gran selección de hierbas aromáticas. Fuera de temporada puede sustituirlas por melisa y flores comestibles como, por ejemplo, las begonias; y el zumo de limón reemplazarlo por el de lima. Y en lugar de aceite de hierbas aromáticas puede usted utilizar un buen aceite de nueces.

3. Ahora disponer las láminas de fruta en forma de abanico en 4 o 6 platos y untarlas, utilizando un pincel, con una fina capa de salsa.

4. Lavar las hierbas aromáticas y eliminar el exceso de agua sacudiéndolas. Disponer de forma decorativa las hierbas sobre las láminas de peras y manzanas y rociar el conjunto con el resto de la salsa.

5. Por último, sacar tiras de la parte blanca con un pelador o finas hebras con un cuchillo. Adornar con ellas el *carpaccio* de peras y manzanas y servirlo espolvoreado con pimienta negra molida.

PARA 4 O 6 RACIONES
PREPARACIÓN 20 min.

INGREDIENTES
· 80 ml de aceite de hierbas aromáticas salvajes (en el mercado, en tiendas de *delicatessen* o preparado en casa)
· 1 cs de zumo de limón, 50 g de jalea de membrillo
· 2 manzanas ácidas
· 2 peras
· 125 g de hierbas aromáticas salvajes (como por ejemplo, menta, perifollo, álsine o hinojo)

ADEMÁS
· cobertura de chocolate blanco en trozos y pimienta negra molida para adornar

Página 136
PRODUCTOS Chocolate

SUGERENCIA DE PRESENTACIÓN: si se sirve un menú más bien rústico, disponer el *carpaccio* en platos de colores.

Timbal de arándanos

PARA 4 RACIONES
PREPARACIÓN 40 min.
+ ENFRIAR 2 horas 20 min.

PARA LOS TIMBALES
· 2 yemas de huevo
  (huevos tamaño M)
· 40 g de azúcar glass
· un poco de ralladura de 1
  limón de cultivo biológico
· 100 g de suero
  de mantequilla
· 4 hojas de gelatina
· 35 g de puré de arándanos
  (ver truco)

· 1 cl de *Crème de Cassis*
  (licor de grosellas)
· 150 g de nata
· 1 cs de leche
· 4 moldes para timbal de 125 ml

PARA LA ENSALADA
DE ARÁNDANOS
· 200 g de arándanos
· 20 g de sirope de arce
· 2 cl de *Crème de Cassis*
  (licor de grosellas)

1. Para los timbales, batir bien espumosas las yemas con el azúcar glass. Añadir la ralladura de limón y mezclar cuidadosamente con el suero de mantequilla.

2. Ablandar las hojas de gelatina de dos en dos, por separado, en agua fría. Poner ⅓ de la masa batida en otra fuente y añadir a ésta una porción pequeña del puré de arándanos. Calentar en un cazo el licor de grosellas, desleír en él 2 hojas de gelatina bien exprimidas y añadirlo a la mezcla de arándanos y suero de mantequilla. Batir la nata a punto fuerte y agregar la mitad de la misma a la mezcla anterior.

3. Calentar la leche en un cazo limpio. Desleír en ella las 2 hojas de gelatina restantes y añadirlo todo a la porción mayor de la masa de suero de mantequilla. Añadir el resto de la nata batida.

4. Repartir la mitad de la masa blanca de suero de mantequilla en los moldes de timbal y dejar cuajar en el frigorífico unos 10 minutos. Evitar que las mezclas que aún no ha utilizado se cuajen manteniendo los recipientes al baño María no demasiado caliente. Después, repartir la totalidad de la masa de arándanos y suero de mantequilla en los moldes para timbales y dejar cuajar igualmente 10 minutos. Distribuir ahora el resto de la masa de suero de mantequilla equitativamente y poner los timbales a enfriar durante por lo menos 2 horas.

Elaboración del puré de arándanos

Triturar con la batidora eléctrica arándanos frescos o descongelados y pasarlos por el chino. El puré, de un intenso color, se puede emplear muy bien como base para otros postres.

5. Para la ensalada de arándanos, lavar los frutos y secarlos cuidadosamente con pequeños toques. Rociar uniformemente la *Crème de Cassis* y el sirope de arce sobre los arándanos. Dejar reposar hasta el momento de servir.

6. Volcar los timbales en platos de postre (ver truco en la página 75) y decorar con los arándanos marinados. A este postre le van bien, por ejemplo, los *brownies* de chocolate y café de la página 191.

Página 13
CURSO DE COCINA Gelatina

Huevos "nieve" sobre manzanas al cardamomo

PARA 4 RACIONES
PREPARACIÓN: 1 hora + CUAJAR 2 horas

PARA LAS MANZANAS AL CARDAMOMO
· 130 g de azúcar
· 250 ml de vino de Oporto y de vino blanco
· 100 ml de zumo de manzana claro
· 1 palo de canela, 2 hojas de laurel
· 1 ct rasa de cardamomo molido
· la pulpa de 1 vaina de vainilla
· 2 manzanas

PARA LOS HUEVOS "NIEVE"
· 180 g de claras (5 huevos M), 30 g de azúcar
· ralladura de ½ limón de cultivo ecológico
· la pulpa de 1 vaina de vainilla
· ½ l de leche

1. Caramelizar el azúcar en un puchero hasta que adquiera un tono dorado y diluirlo con el Oporto, el vino blanco y el zumo de manzana. Añadir las especias. Dar un hervor al conjunto y reducir a la mitad, luego pasarlo por un colador.

2. Pelar las manzanas y quitarles el corazón con un vaciador. Cortar las manzanas a lo ancho en rodajas finas. Ponerlas en una fuente y rociarlas con la mezcla de vinos. Dejar reposar unas 2 horas.

3. Una vez transcurrido ese tiempo, preparar los huevos "nieve" tal como se explica y se muestra más abajo.

4. Distribuir las manzanas al cardamomo en 4 platos de postre, sacar los cúmulos de nieve de la leche y disponerlos sobre las rodajas de manzana.

(1)

PREPARACIÓN DE LOS HUEVOS "NIEVE"
*Cuanto más espumosa sea la clara a punto de nieve,
tanto más ligeros serán los cúmulos.*

(1) Batir a punto de nieve con el robot de cocina o, mejor aún, con el batidor de mano las claras, la ralladura de limón, el azúcar y la vainilla.

(2) Hervir la leche en un puchero. Con una cuchara, sacar montoncitos de las claras a punto de nieve y pocharlos en la leche durante unos 3 minutos por cada lado. La leche no debe hervir.

(3) Dar una vuelta a los montoncitos, ya que la parte superior flota y no queda sumergida en la leche.

(2)

(3)

Sopa de champán y manzanas con bolitas crocantes de *quark*

DE 4 A 6 RACIONES
PREPARACIÓN: 30 min.
+ REPOSAR: 30 min.

PARA LA SOPA DE CHAMPÁN
Y MANZANAS
· 4 manzanas
· 400 ml de champán

PARA LAS BOLITAS CROCANTES DE *QUARK*
· 20 g de azúcar glass
· 2 yemas de huevo
· 20 g de mantequilla a temperatura ambiente
· 125 g de queso *quark*
· 40 g de pan rallado
· 100 g de almendras laminadas

1. Lavar, pelar y descorazonar las manzanas. Cortar la fruta en trozos pequeños y poner a cocer con un poco de agua hasta obtener una "compota seca"; dejar enfriar.

2. Entretanto, mezclar el azúcar glass con las yemas y la mantequilla, añadir el *quark* y el pan rallado. Poner la mezcla a enfriar durante 30 minutos.

3. Después formar con la masa de azúcar glass 8 bolitas. Llevar a ebullición bastante agua con 1 cs de azúcar y meter las bolitas dentro. Dejar cocer unos 10 minutos a fuego bajo. Mientras tanto, dorar ligeramente las almendras laminadas en una sartén sin grasa.

4. Batir la compota de manzana junto con el champán. Después, verter la mezcla en platos hondos y añadir las bolitas calientes de *quark* rebozadas en las almendras laminadas.

Tarrina de uvas con espuma de canela

1. Ablandar las pasas en agua tibia y ponerlas a escurrir en un colador. Entretanto, lavar las uvas y picar las hojas de menta.

2. Poner las hojas de gelatina en agua fría. Cocer el azúcar con 2 cs de agua en un cazo, exprimir bien la gelatina y mezclarla con el azúcar hasta que se haya disuelto. Verter el vino dejando que caiga lentamente por el borde del cazo y mezclarlo todo con cuidado. Así evitará que se formen burbujas.

3. Cubrir el interior del molde con papel *film* y distribuir en su interior las uvas, las pasas y las hojas de menta. Verter la mitad del vino con gelatina haciéndolo pasar por un tamiz fino y poner la tarrina a enfriar, tapada, durante 30 minutos. Mientras tanto, mantener templado el resto de la mezcla de vino porque, si no, se cuajará el líquido. Una vez transcurrido el tiempo de enfriamiento, verter el resto del vino sobre la mezcla ya cuajada de la tarrina. Ponerlo todo a enfriar durante un mínimo de 3 horas.

4. Sacar la tarrina del frigorífico 30 minutos antes de servir. Así estará a temperatura ambiente y adquirirá la consistencia ideal. Poco antes de servir, batir ligeramente la nata con el azúcar y el licor de menta.

5. Volcar la tarrina en un plato y cortarla en láminas utilizando preferiblemente un cuchillo eléctrico u un cuchillo muy afilado. Disponer las láminas en platos y distribuir 1 cs de espuma de menta alrededor. Adornar cada plato con una ramita de menta y servir inmediatamente.

Las jaleas líquidas

deben verterse siempre a través de un colador o un chino para evitar posibles grumos de la gelatina. Por la misma razón es recomendable trabajar la gelatina con el batidor de varillas.

PARA 4 RACIONES
PREPARACIÓN   40 min.
+ ENFRIAR   3 horas 30 min.

PARA LA TARRINA
· 30 g de pasas
· 100 g de uvas moscatel pequeñas sin semillas
· 6 hojas de menta
· 3 hojas de gelatina
· 40 g de azúcar
· 200 ml de vino moscatel (vino dulce)
· 1 molde de 500 ml

PARA LA ESPUMA DE MENTA
· 60 g nata
· 1 cs de azúcar
· un chorrito de licor de menta
· 1 pequeño manojo de menta

Grütze de albaricoques y melocotones con grosellas y *parfait* de miel

PARA 6 RACIONES
PREPARACIÓN 1 hora
+ 4 horas de frío

PARA EL *PARFAIT*
· 4 yemas de huevo
(huevos tamaño L)
· 70 g de miel
· 30 g de azúcar en polvo
· 250 g de nata
· molde de 500 ml

PARA LA *GRÜTZE*
· 600 g de melocotones
· 600 g de albaricoques
· 200 g de grosellas rojas
· 50 g de azúcar
· 1 cs de espesante
· 4 cl de licor de melocotón
(o de albaricoque)

Grütze *roja*

PARA ELABORAR la clásica "Rote Grütze" (especialidad típica del norte de Alemania y también de Escandinavia) se cuecen durante unos 10 minutos 750 g de grosellas rojas y 500 g de frambuesas en 1 l de agua con 150 g de azúcar, hasta que la fruta se deshaga. Pasar la mezcla y ponerla a cocer. Mezclar 90 g de espesante en 125 ml de vino blanco seco y añadirlo al zumo. Retirar el puchero del fuego y añadir 2 cl de ron. Dejar enfriar un poco la mezcla y repartirla en pequeños cuencos. Una vez fría, servirla con nata.

1. Para el *parfait,* batir en un bol las yemas, la miel y el azúcar entre 5 y 8 minutos, hasta conseguir una mezcla cremosa y espesa. Montar después la nata y añadirla a la masa anterior. Cubrir un molde con papel *film,* verter en él la masa, taparlo y meterlo en el congelador durante 4 horas.

2. Para la *grütze,* blanquear en un puchero con agua hirviendo los melocotones y los albaricoques, sacarlos, asustarlos con agua fría, retirarles la piel, partir las frutas por la mitad o a cuartos y extraerles el hueso. Lavar las grosellas y soltarlas del tallo con un tenedor.

3. Cortar la carne de los melocotones y de los albaricoques en gajos finos e introducirlos en un puchero con 200 ml de agua y el azúcar. Llevar a ebullición y dejar cocer 3 minutos.

4. Sacar la fruta con una espumadera, ponerla en un plato y reservar. Desleír el espesante en el zumo de la fruta del puchero. Añadir las grosellas y el licor de melocotón en la mezcla aún caliente y retirar el puchero del fuego. Dejar enfriar un poco la mezcla y después agregar los gajos de fruta.

5. Volcar el *parfait* de miel en una fuente alargada. Luego, cortarlo en láminas y disponerlas sobre la *grütze.*

Con fruta en conserva

Si no se puede conseguir la fruta fresca, utilizar la misma cantidad de melocotones y de albaricoques en conserva. En este caso no es necesario blanquear la fruta y el tiempo de cocción se reduce a 50 minutos.

Página 24
CURSO DE COCINA *Parfait*

Ambrosía de piña con aroma de chile y cilantro

PARA 4 RACIONES
PREPARACIÓN 30 min.
+ REPOSAR 3 horas

*Si se vierte algo de nata líquida
sobre la ambrosía,
quedará más suave.*

INGREDIENTES
· ½ piña
· 1 chile rojo pequeño
· 500 ml de zumo de piña
· la pulpa de 1 vaina de vainilla
· 4 ramas de cilantro
· unas hebras de azafrán
· 150 g de azúcar
· 6 hojas de gelatina

1. Cortar la media piña a lo largo en 2 mitades, separar la carne de la corteza y eliminar la parte dura del centro. Cortar la carne de piña en dados. Lavar el chile.

2. Poner en un puchero los trozos de piña y el chile con el zumo de piña, la pulpa de vainilla, el cilantro, el azafrán y el azúcar. Llevar todo a ebullición y dejar cocer tapado durante unos 20 minutos hasta que la fruta esté tierna.

3. Ablandar la gelatina en un poco de agua fría. Retirar del caldo del puchero el chile y las ramas de cilantro y reservar un poco del caldo en un cuenco.

4. Exprimir un poco la gelatina y diluirla en el caldo de piña del cuenco. Echar de nuevo la mezcla en el puchero y remover.

5. Repartir la ambrosía de piña en cuencos de postre y ponerlos a enfriar durante 3 horas aproximadamente para que cuajen.

SUGERENCIA DE PRESENTACIÓN: dejar que la ambrosía cuaje en vasos y decorarla al gusto con cilantro fresco y juliana de chile, tal y como se muestra en la fotografía de la izquierda.

Clásica gelatina dulce. *Para este postre mezclar la gelatina con zumo caliente de frutas o de hierbas y poner a enfriar para que cuaje. Los sabores clásicos son las ambrosías con aroma de aspérula (ver fotografía) y la variante roja con aroma de frambuesa o de cerezas.*

Cómo servir la ambrosía. *Se puede desmoldar o volcar la gelatina y decorarla con nata o con salsa de vainilla. Resultan especialmente decorativas algunas briznas de cobertura de chocolate blanco esparcidas por encima.*

Peras al vino tinto en gelatina con envoltura de *ricotta* sobre *coulis* de grosellas

PARA 8 RACIONES
PREPARACIÓN 50 min.
+ CUAJAR 5 horas 20 min.

PARA LAS PERAS AL VINO
TINTO EN GELATINA
· 4 peras maduras
· 250 g de azúcar glass
· 1 l de vino tinto
· 1 palo de canela

· corteza de 1 naranja
  de cultivo biológico
· 6 hojas de gelatina
· molde de 750 ml

PARA LA ENVOLTURA
DE *RICOTTA*
· 5 hojas de gelatina
· 50 ml de miel de flores
  (u otra miel aromática)

· 500 g de *ricotta*
· 50 ml de aceite de nuez
· 50 g de nata
· 3 cs de leche
· molde de 1250 ml

PARA EL *COULIS*
DE GROSELLAS
· 500 g de grosellas rojas
· 80 g de azúcar

1. Para las peras al vino tinto en gelatina, pelar las frutas y retirarles los tallos, la base y el corazón. Cortar su carne en dados y ponerlos en una fuente. Caramelizar el azúcar glass en un puchero plano, disolverlo con el vino tinto y añadir la canela y la corteza de naranja. Verter la mezcla a través de un cedazo sobre las peras y dejar reposar el conjunto durante 3 horas como mínimo.

2. Pasado este tiempo, sumergir la gelatina en agua fría 5 minutos. Con una espumadera, sacar los dados de pera del vino y ponerlos en el molde. Medir 400 ml de la mezcla de vino tinto y calentar un poco en un puchero. Exprimir la gelatina y disolverla en el puchero. Verter esta mezcla en el vino medido y regar con ella los dados de pera. Poner el molde a enfriar durante al menos 1 hora.

3. Transcurrido este tiempo, sumergir la gelatina para la *ricotta* en agua fría durante 5 minutos. Medir la miel y mezclarla con la *ricotta*, el aceite de nuez y la nata. Calentar la leche y disolver en ella la gelatina escurrida. Mezclar la leche rápidamente con la masa de *ricotta* y poner la mitad de la masa en el molde grande. Dejarlo enfriar unos 20 minutos, hasta que cuaje. Mientras tanto, evitar que el resto de la masa cuaje manteniéndola al baño María caliente.

Desmoldar adecuadamente

Antes de desmoldar los postres con gelatina, sumergir el molde brevemente en agua casi hirviendo, después separar un poco los bordes con un cuchillo caliente, poner un plato sobre el molde y darle la vuelta.

4. Transcurridos los 20 minutos de enfriamiento de la masa de *ricotta*, volcar el molde de la gelatina. Colocar con cuidado la gelatina sobre la masa de *ricotta* y cubrirla con el resto de la *ricotta*. Volver a ponerlo todo a enfriar durante al menos 1 hora.

5. Para el *coulis*, lavar las grosellas y liberarlas del tallo. Poner estas frutas a cocer con el azúcar sin dejar de remover. Triturar todo y pasarlo por el chino. Cubrir el fondo de un plato de postre con una fina capa de *coulis* (un espejo de *coulis*). Volcar la tarrina con cuidado (ver truco), cortarla en láminas y disponerlas sobre el *coulis*.

Peras a la flor de saúco
con polenta de vainilla

PARA 4 RACIONES
PREPARACIÓN 30 min.

PARA LA POLENTA
· 1 vaina de vainilla
· 425 ml de leche, 3 cl de vermú
· 125 g de polenta (sémola de maíz)
· las ralladuras de ½ naranja
  y de ½ limón de cultivo biológico
· 50 g de mantequilla, 40 g de azúcar

PARA LAS PERAS AL SAÚCO
· 1 l de zumo de flor de saúco
  (o 140 ml de sirope de saúco
  mezclado con 860 ml de agua)
· la pulpa de 1 vaina de vainilla
· 200 g de azúcar
· 4 peras pequeñas, no muy blandas

1. Para la polenta, abrir la vainilla a lo largo y rascar la pulpa. Cocer en un puchero la leche con la vaina de vainilla y el vermú y añadir la sémola de maíz. Agregar las ralladuras de naranja y de limón y dejar cocer la sémola, tapada y removiendo de vez en cuando, unos 20 minutos, hasta que esté blanda.

2. Entretanto, para hacer las peras al saúco, poner en un puchero ancho el zumo de flor de saúco, la pulpa de la vainilla y el azúcar, y llevarlo todo a ebullición. Pelar las peras, cortarlas por la mitad y retirar el tallo, la base y el corazón.

3. Poner las medias peras en el puchero donde cuece la mezcla de leche, reducir un poco la temperatura de manera que el líquido apenas bulla. Pochar las frutas durante unos 10 minutos (pincharlas para comprobar el punto).

4. Mezclar con la polenta ya cocida la mantequilla, el azúcar y la pulpa de vainilla. Acompañar las peras con la polenta.

Sopa de saúco con bolitas de sémola

1. Para la sopa de saúco, poner las hojas de gelatina en agua fría. Introducir en un puchero poner el champán y el zumo de saúco junto con el azúcar, la pulpa de vainilla, y el zumo y la ralladura de limón. Dar un hervor al conjunto y pasarlo por el chino.

2. Escurrir la gelatina reblandecida y desleírla en el caldo caliente. Ponerla a enfriar durante 4 ½ horas.

3. Para las bolitas de sémola, cocer la leche y la nata con la mantequilla, el azúcar, la vainilla, y las ralladuras de cítricos. Retirar el puchero del fuego, verter la sémola removiendo y, sobre la cocina, con el fuego apagado, dejar que cuaje sin dejar de remover.

Sustitución de ingredientes

Naturalmente, se puede utilizar un buen cava seco en lugar del champán. Y el zumo de flores de saúco se puede sustituir, dado el caso, por una mezcla de 50 ml de sirope de flores de saúco y 300 ml de agua.

4. Verter después la masa de sémola en una fuente, añadir el huevo y mezclar bien. Poner la masa a enfriar durante unas 4 horas.

5. Pasado este tiempo, hervir abundante agua ligeramente azucarada a hervir para cocer las bolitas de sémola.

6. Con 2 ct de té o con 1 cs, extraer pequeñas porciones de la masa fría de sémola. Echarlas en el agua, que no debe hervir a borbotones sino ligeramente, y cocerlas durante unos 10 minutos. Sacarlas con una espumadera, escurrirlas y dejar que se enfríen un poco.

7. Distribuir la sopa fría de saúco en 4 cuencos de sopa y añadir las bolitas de sémola. Servir inmediatamente.

PARA 4 PORCIONES
PREPARACIÓN 45 min.
+ FRÍO 4 horas 30 min.

PARA LA SOPA DE SAÚCO
· 3 hojas de gelatina
· 125 ml de champán (se puede sustituir por cava)
· 350 ml de zumo de flor de saúco
· 125 g de azúcar
· la pulpa de 1 vaina de vainilla
· la ralladura y el zumo de 2 limones de cultivo biológico

PARA LAS BOLITAS DE SÉMOLA
· 125 ml de leche, 125 g de nata
· 50 g de mantequilla
· 20 g de azúcar
· la pulpa de 1 vaina de vainilla
· las ralladuras de 1 naranja y de 1 lima de cultivo biológico
· 65 g de sémola de trigo duro, 1 huevo
· un poco de azúcar para el agua de cocción

SUGERENCIA DE PRESENTACIÓN: adornar la sopa con tomillo como en la fotografía de la derecha.

Espuma de fruta de la pasión sobre salsa de higos con crocante de naranja

PARA 4 RACIONES
PREPARACIÓN 1 hora

· 10 g de almendra picada
· 5 g de almendra molida

· 4 moldes para timbales
  de 125 ml

PARA EL CROCANTE
DE NARANJA
· 20 g de azúcar
· 10 g de glucosa
· 5 g de miel de acacias
· 4 g de mantequilla
· la ralladura de ½ naranja
  de cultivo biológico
· 12 g de nata líquida

PARA LA ESPUMA DE FRUTA
DE LA PASIÓN
· 2 hojas de gelatina
· 4–5 frutas de la pasión
  maduras (o 50 g de zumo
  de fruta de la pasión colado)
· 1 clara (huevo tamaño L)
· 50 g de azúcar glass
· 100 g de nata

PARA LA SALSA DE HIGOS
· 2 brevas (o higos negros)
  maduras
· 2 cs de azúcar
· 1 cs de vinagre balsámico
  reducido (unas 4 cs
  de la cantidad inicial)

1. Primero preparar el crocante de naranja: precalentar el horno a 160 °C. Llevar a ebullición sin dejar de remover el azúcar, la glucosa, la miel, la mantequilla, la ralladura de naranja, la nata y las almendras molidas y picadas, y dejar que cueza todo bien durante 1 minuto. Poner la mezcla sobre una placa de horno cubierta con papel de hornear, alisarla un poco con una espátula y dorarla ligeramente en el horno caliente (hacia el centro) unos 12 minutos. El tiempo depende del grosor de la masa. Por lo tanto, vigilar el crocante hacia el final del horneado.

2. Sacar el crocante del horno y dejar que se enfríe. Lo hará antes si se retira el papel de la placa. Elevar la temperatura a 180 °C, volver a meter el crocante en el horno y, en 5 minutos, tendrá un apetitoso color tostado (¡cuidado, se quema rápidamente!). Sacar el crocante del horno y dejar que se enfríe de nuevo.

3. Entretanto, para la espuma de fruta de la pasión, ablandar la gelatina en agua fría. Partir por la mitad las frutas, sacar la carne con una cuchara y ponerla en un cazo. Cocer la fruta y pasarla finalmente por el chino. Conservar el zumo. Desleír la gelatina escurrida en 50 g del zumo colado. Si el zumo no estuviera ya lo suficientemente caliente y la gelatina no se deshiciera bien, volver a calentarlo todo.

4. Montar la clara con el azúcar glass. Montar igualmente la nata y unir ambas con el zumo de la fruta de la pasión. Mezclarlo todo cuidadosamente y distribuir la espuma en los moldes. Finalmente, poner los moldes en el congelador durante unos 20 minutos.

5. Para la salsa de higos retirar la piel y triturar la carne de estas frutas con el azúcar y con el vinagre balsámico reducido.

6. Repartir la salsa de higos en platos o en vasos. Sumergir brevemente en agua caliente los moldes con la espuma, volcar después las raciones en los platos o en los vasos. Romper en pedazos el crocante de naranja frío y ponerlo junto a la espuma.

Página 30
CURSO DE COCINA Pelar higos

Plátanos *baby* en salsa de miel y ron con nata al jengibre

PARA 4 RACIONES
PREPARACIÓN 20 min.
+ CUAJADO 1 hora

PARA LA NATA AL JENGIBRE
· 2 frutas de la pasión
· 30 g de jengibre
· 100 g de leche de coco
· la pulpa de 1 vaina de vainilla
· 100 g de nata

PARA LOS PLÁTANOS
· 6 plátanos *baby* maduros
· 100 g de miel
· 2 cl de ron blanco
· 50 g de mantequilla helada

1. Partir por la mitad las frutas de la pasión, sacar con una cuchara la carne y ponerla en un puchero. Raspar la piel del jengibre, cortarlo en láminas finas e introducirlo en el puchero. Añadir la leche de coco, la pulpa de vainilla y la nata, llevar todo a ebullición removiéndolo y dejarlo tapado durante 1 hora.

2. Pelar los plátanos *baby* y cortarlos en rodajas gruesas. Calentar la miel en una sartén y rehogar en ella los trozos de plátano hasta que estén bien calientes. Desleír en la sartén el ron y añadir la mantequilla en pedazos.

3. Pasar por el chino la salsa de jengibre y repartirla en los 4 platos. Disponer después los plátanos y rociarlos con la salsa de ron y miel.

SUGERENCIA DE PRESENTACIÓN: adornar el postre como en la fotografía de la izquierda, con tiras de coco fresco.

Postres con plátano

FLAMBEAR El efecto óptico es lo que hace tan apetecible el fambleado, y en ocasiones sólo se realiza por las atractivas llamas. Pero un flambeado bien hecho también enriquece un postre aportando matices al sabor. Y es que al quemar el alcohol, sobre todo en el caso de licores fuertes, el aroma permanece. Para flambear son adecuados los licores con un alto porcentaje de alcohol como el brandy, el ron, el *arrak*, el licor de cerezas (*kirsch*), o el de naranja. En general, todas las frutas se pueden flambear, pero los plátanos, tan dulces, ¡están deliciosos!

PLÁTANOS FLAMBEADOS Lavar 2 naranjas de cultivo biológico y frotarlas bien con un paño. Pelar una de las naranjas tan superficialmente que no quede ni un poco de la parte blanca en la corteza, ya que ésta contiene elementos amargos. Cortar la piel de la naranja en tiras finas. Exprimir después las 2 naranjas y una lima y pasar el zumo por el chino. Pelar 12 plátanos pequeños y cortarlos por la mitad a lo largo. Finalmente, derretir 40 g de mantequilla en una sartén y dorar en ella por los dos lados las mitades de plátano. Sacarlas de la sartén y reservar. Derretir 30 g de mantequilla en la sartén, añadir las tiras de cáscara de naranja y 80 g de azúcar moreno. Derretir el azúcar removiendo sin parar. Desleír el azúcar con el zumo de naranja y lima y dejar cocer todo a fuego fuerte durante 2 o 3 minutos. Añadir ahora 4 cl de *Grand Marnier* y 1 cl de *arrak*, inclinar un poco la sartén y prender el alcohol con un mechero. Al hacerlo, es preciso tener sumo cuidado con las llamas, pues, ¡prenden enseguida! Volver a poner en la sartén los plátanos dorados y calentarlo todo bien de nuevo.

PLÁTANOS CON CHOCOLATE Que el chocolate amargo combina muy bien con la mayoría de la fruta es algo que todo el mundo que ha probado fresas, manzanas o plátanos bañados en chocolate sabe. Y es muy fácil preparar en casa bombones de plátano. Lo mejor es utilizarlos de clase *baby*, ya que estos plátanos pequeños y extremadamente dulces combinan especialmente bien con el chocolate amargo. Dividir los plátanos longitudinalmente por la mitad. Los más grandes se pueden partir también en dos. Finalmente cubrirlos con chocolate de cobertura y espolvorearlos al gusto con nueces caramelizadas.

CURSO DE COCINA   RECETAS
→ *Productos: frutas del*
sur y frutas exóticas

Frutas del sur y frutas exóticas

(1)

(1) CÍTRICOS

Naranjas, limones y limas regalan al postre aromas ácidos, dulces y herbales. En ocasiones se utiliza solamente el zumo, por ejemplo, como ingrediente del caramelo. Pero a menudo, también se carameliza la carne de las frutas cortada en rodajas, y es que su sabor ácido armoniza muy bien con el dulce del azúcar.

La cáscara exterior de los cítricos es rica en aceites esenciales y se presta maravillosamente para aromatizar. Se puede sacar la piel muy superficialmente, de manera que queden tiras muy finas, también se pueden hacer cintas con el pelador o rallar la cáscara.

Los pequeños *kumquats* de forma ovalada (en la fotografía, abajo en el centro) tienen una piel muy fina de sabor ligeramente amargo.

(2)

(2) HIGOS Y DÁTILES

En nuestros mercados, los dátiles se encuentran fundamentalmente secos. Los que se ofrecen como fruta fresca han sido congelados inmediatamente después de la recolección y vueltos a descongelar antes de venderlos. Estos últimos son los más adecuados para las recetas de este libro.

Los higos maduros pueden tener forma de pera o ser más redondeados, dependiendo de la clase. Suelen ser verdes al principio, y posteriormente rojizos con tiras de color violáceo. El interior del higo va del rosa claro al rojo oscuro con pequeñas semillas. Las higueras dan fruto 3 veces al año. Los higos recogidos de abril a junio son los que mejor saben.

(3)

CURSO DE COCINA   RECETAS
→ *Productos: frutas del
sur y frutas exóticas*

(3) FRUTAS *BABY* DEL SUR

Las frutas cultivadas en miniatura, como piñas y
plátanos, no sólo son muy decorativas e idóneas como
porción individual, sino que también tienen un aroma
especialmente intenso.

FRUTAS DE LA PASIÓN

Maracuyas y granadillas, de color púrpura o amarillo,
pero también las pequeñas y alargadas curubas
(no aparecen en la fotografía) pertenecen a la gran
familia de las frutas de la pasión. Se utiliza su carne,
de intenso aroma y textura gelatinosa. Quien además
desee aprovechar también el aromático zumo, debe
pasar la fruta por el chino.

(4)

(4) MANGOS

Se cuentan entre las frutas tropicales más importantes. Los mangos
pueden tener el tamaño de una pera o el de un coco, pueden ser
redondeados, ovalados o apepinados y de color amarillo verdoso,
verde carmesí o amarillo rojizo. La carne es de color amarillo dorado,
ligeramente fibrosa y el sabor recuerda al del melocotón.

Los mangos se encuentran todo el año en el mercado. Se recolectan a
medio madurar y habrán alcanzado su punto óptimo de maduración
(también sucede en casa, a temperatura ambiente) cuando emanan un
perfume intenso y la piel se hunde ligeramente al presionar. Conservar
los frutos maduros en un lugar oscuro y fresco, pero no en el frigorífico.

Piña en gabardina de coco y *curry*

PARA 4 RACIONES
PREPARACIÓN de 30 a 45 min.
+ REPOSO 2 horas

PARA EL REBOZADO
· 25 g de mantequilla
· 30 g de azúcar
· 1 huevo
· 40 g de nata
· unos 50 ml de zumo de piña
· 25 g de crema de coco
· 1 cs de copos de coco
· la pulpa de ½ vaina de vainilla

· el zumo de ½ limón
· 1 cs de *curry* en polvo
· 1 punta de cuchillo
  de cayena molida
· 75 g de harina

ADEMÁS
· aceite para freír
· 1 piña pequeña
· pinchos de madera
  para brochetas
· azúcar glass para espolvorear
  al gusto

Clásicas frutas en gabardina

BOCADITOS DE MANZANA Pelar 750 g de manzanas, quitarles el corazón y cortarlas en aros de 1 cm de grosor. Espolvorear los aros de manzana con 50 g de azúcar, rociarlos con zumo de limón y 2 cl de ron. Tapar y dejar reposar. Poner en una ensaladera 200 g de harina, 2 huevos, 125 ml de zumo de manzana y 125 ml de vino blanco, una punta de cuchillo de sal así como un poco de ralladura de la piel de 1 limón de cultivo biológico. Trabajarlo todo hasta lograr una masa espesa y dejar que repose durante 30 minutos. Escurrir bien los aros de manzana marinados. Pasar los aros de manzana por la masa de rebozado y freírlos.

1. Para el rebozado, derretir la mantequilla, ponerla en el vaso de la batidora y dejar que se enfríe un poco. Añadir después el azúcar, el huevo, la nata, 3 cs de zumo de piña, la crema y los copos de coco, la vainilla, el zumo de limón, el *curry* y la cayena molida. Triturarlo todo con la batidora eléctrica.

2. Pasar la mezcla por el chino a una fuente mediana. Añadir la harina, mezclar y dejar que la masa repose en frío por lo menos 2 horas.

Otras frutas

Sirva el postre también con trocitos de plátano o mango. Estas frutas armonizan bien con el curry.

3. Calentar el aceite para freír en un recipiente adecuado a 170 °C. Separar entretanto la carne de la piña de la corteza y quitarle el tallo duro central. Cortar la piña en pequeños trozos. Calentar el horno a 70 °C. Cubrir una placa de horno con papel de hornear y meterla en el horno.

4. Remover la masa para el rebozado. Si ha quedado demasiado espesa, añadirle un poco de zumo de piña. Ensartar de uno en uno los trozos de piña, sumergirlos en la masa de rebozado y freírlos en el aceite caliente. Lo mejor para liberarlos del pincho es utilizar otro pincho de brochetas.

5. Tan pronto como los trozos de piña estén dorados, sacarlos del aceite con una espumadera y ponerlos en la placa del horno. Una vez fritos todos los trozos de piña, servir el postre inmediatamente en platos precalentados. Espolvorearlos, si se desea, con azúcar glass y servirlos pinchados de nuevo en los palitos de madera.

Página 32
CURSO DE COCINA Piña

Página 83
PRODUCTOS Frutas exóticas

Higos al vino de Oporto y tortitas de patata

PARA 4 RACIONES
PREPARACIÓN 1 hora 45 min.
(sin dejar enfriar la masa)

PARA LOS HIGOS AL OPORTO
· 50 g de azúcar de caña sin refinar
  (en su defecto, azúcar moreno)
· 100 ml de vino tinto
· 1 clavo de olor
· una punta de cuchillo
  de cardamomo
· 200 ml de vino de Oporto tinto
· 1 cs rasa de espesante
· 8 higos frescos

PARA LAS TORTITAS DE PATATA
· 200 g de patata cocida muy blanda
· 250 ml de leche
· 2 cs de azúcar
· una punta de cuchillo de nuez
  moscada
· 45 g de polenta (sémola de maíz)
· una pizca de sal
· 2 yemas de huevo (tamaño L)
· mantequilla para freír
· pasapurés
· cortapastas de la forma
  que se desee

Servir las galletitas de patata con fresas y quark *para tener un almuerzo ligero.*

1. Para las tortitas de patata, cocer en agua o al vapor los tubérculos con su piel durante unos 30 minutos. Sacarlos y pelarlos en caliente. Pasarlos por el pasapurés a una fuente.

2. Llevar a ebullición la leche con el azúcar, la nuez moscada, la polenta y la sal. Sin dejar de remover, echar despacio la sémola de maíz y darle un hervor. Añadir ahora el puré de patatas con rapidez y continuar removiendo hasta que la masa comience a desprenderse de los bordes del puchero. Retirar el recipiente del fuego y dejar que la masa se enfríe un poco. Mezclar rápidamente las yemas de huevo.

3. Humedecer ligeramente con agua una placa de horno, extender la masa de patata en la mitad de la superficie de la placa y dejar que se enfríe del todo. Después, utilizando los cortapastas, marcar las formas unas junto a otras sin dejar apenas separación. Se pueden hacer, por ejemplo, corazones, tréboles, rombos, medias lunas...

4. Para los higos con vino de Oporto, poner el azúcar a caramelizar en una cacerola y diluir en ella el vino tinto. Añadir el clavo, el cardamomo y el Oporto; llevar la mezcla a ebullición, sacar el clavo y ligar el caldo con el espesante disuelto en un poco de agua fría. Pelar los higos y partirlos en cuartos. Colocar los pedazos en el caldo y mantenerlos calientes.

5. Dorar las tortitas de patata por ambos lados en una sartén con mantequilla caliente. Disponerlas en platos templados y disponer encima los higos con un poco de caldo.

Con patatas de cultivo biológico

Como mejor salen las galletitas es con patatas de cultivo biológico, ya que éstas no se aguachinan y además tienen mejor sabor.

Página 82
PRODUCTOS Frutas del sur

Compota y crema fría de ruibarbo con medias lunas de *quark*

PARA 4 RACIONES
PREPARACIÓN 1 hora 25 min
+ FRÍO 2 horas 30 min

PARA LA COMPOTA
DE RUIBARBO Y FRESAS
· 500 g de ruibarbo
· 200 g de azúcar
· 1 ct de ralladura de limón
 de cultivo biológico
· 250 g de fresas

· 1 cs rasa de espesante
 para ligar

PARA LA CREMA FRÍA
· 3 yemas de huevo
· 40 g de azúcar glass
· 1 cs de miel
· 125 g de compota de ruibarbo
 (ver la primera parte
 de la receta)
· 250 g de nata

PARA LAS MEDIAS LUNAS
DE *QUARK*
· 150 g de patatas
 bien cocidas
· 70 g de harina
· 80 g de queso *quark*
· 1 cs colmada de *vainillina*
· 1 huevo (tamaño L)
· 1 cl de ron
· mantequilla para freír

1. Lavar los tallos de ruibarbo y quitarles la piel fina. Cortar los tallos en trozos de aproximadamente 1 cm de ancho y ponerlos a cocer en un puchero con el azúcar y la ralladura de limón. Dejar cocer hasta que el ruibarbo se deshaga. Entretanto, lavar las fresas, limpiarlas y cortarlas en rodajas a lo largo.

2. Tomar ahora 125 g de la compota de ruibarbo, ya refrescada, para la crema fría. Ligar el resto del ruibarbo con el espesante disuelto en un poco de agua fría: remover el espesante con agua, cocer la compota de nuevo sin cesar de remover, y dejarla cociendo un poco hasta que espese. Apagar el fuego y añadir las fresas. La compota no debe hervir en este momento.

3. Para la crema fría, batir enérgicamente las yemas con el azúcar glass hasta conseguir una crema espesa y agregar la miel y la compota de ruibarbo fría. Montar la nata e incorporarla. Verter la masa en 4 moldes pequeños (timbales) que se pondrán en el congelador durante 3 horas.

4. Al cabo de 1 ½ horas de frío para la crema, comenzar con la preparación de las medias lunas de *quark*. Cocer las patatas con piel en un poco de agua hasta que estén blandas, pelarlas y pasarlas por el pasapurés o utilizar la prensa de patatas. Espolvorear el puré obtenido con un poco de harina, dejar que se enfríe un poco y hacer una masa con el resto de los ingredientes. Formar con ella 8 medias lunas pequeñas y ponerlas a enfriar durante al menos 1 hora.

5. Dorar las medias lunas de *quark* en una sartén con mantequilla caliente. Colocar en cada plato de postre una ración de compota de ruibarbo y fresas y, encima, otra ración de crema helada de ruibarbo. Para sacar el helado de los moldes, lo mejor es sumergirlos brevemente en agua caliente. Disponer en cada plato 2 medias lunas de *quark* doradas en mantequilla.

Ligar espesante

Antes de añadir el espesante a un líquido caliente hay que disolverlo en un poco de agua fría porque, sino, se originarían grumos. Lo mejor es agregar el espesante disuelto en agua poco a poco y siempre removiendo hasta lograr la consistencia deseada. Después es imprescindible cocerlo todo de nuevo si no pretendemos que permanezca un ligero gusto a harina.

Raviolis de chocolate con ragú de cerezas

PARA 4 O 6 RACIONES
PREPARACIÓN 1 hora + REPOSAR 2 horas

PARA LOS RAVIOLIS DE CHOCOLATE
· 160 g de harina, 2 huevos
· 2 ct de cacao en polvo
· 1 cs de sémola de trigo
· harina para la superficie de trabajo
· 1 yema batida para pintar
· 2 cs de azúcar para el agua de cocción

PARA EL RELLENO
· 50 g de cobertura de chocolate blanco
· 80 g de *ricotta*

· un chorrito de zumo de limón
· la pulpa de ½ vainilla
· 20 g de azúcar
· 1 yema

PARA EL RAGÚ DE CEREZAS
· 40 g de azúcar
· 65 ml de vino de Oporto tinto
· 50 ml de vino tinto
· 100 ml de zumo de cerezas
· 25 g de mantequilla helada
· 200 g de cerezas sin hueso

(1)

ELABORACIÓN DE LOS RAVIOLIS
Raviolis de chocolate, paso a paso

(1) Extender la masa con el rodillo sobre la superficie de amasar ligeramente enharinada dejándola lo más fina posible. Dividirla por la mitad. Sobre una de las partes, marcar círculos con un cortapastas redondo (o con un vaso pequeño) pero sin llegar a cortar la masa.

(2) Colocar en el centro de cada círculo un poco de relleno. Untar alrededor con la yema batida y poner encima, con cuidado, la otra mitad de la masa.

(3) Presionar con fuerza la masa alrededor del relleno y luego sacar los raviolis con el cortapastas (o con el vaso).

(2)

(3)

1. Para hacer la masa de los raviolis, poner todos los ingredientes en el recipiente y amasarlos con el robot de cocina hasta que quede una pasta firme y suave. Si se da el caso, añadir muy poquita agua. Dejar descansar la masa envuelta en papel *film* 2 horas en el frigorífico.

2. Entretanto, cortar el chocolate de cobertura para el relleno en trozos gruesos y derretirlo al baño María. Mezclar la *ricotta*, el zumo de limón, la vainilla, el azúcar y la yema, y añadir la cobertura derretida.

3. Pasado el tiempo de reposo de la masa de raviolis, extenderla con el rodillo hasta dejarla muy fina, rellenarla con la crema de *ricotta* (ver explicación paso a paso) y formar los raviolis.

4. Preparar ahora el ragú de cerezas. Caramelizar el azúcar en un puchero. Disolverlo con el Oporto, el vino tinto y el zumo de cerezas. A fuego fuerte, reducir la salsa a la mitad. Retirar el puchero del fuego y agregar la mantequilla fría a trocitos, de uno en uno. Añadir las cerezas y mantener la salsa caliente.

5. Para los raviolis, poner a hervir abundante agua con azúcar en un puchero. Bajar el fuego para que el agua hierva ligeramente y echar los raviolis. Dejar que cuezan unos 3 minutos. Mientras tanto, disponer el ragú de cerezas en platos y poner luego encima los raviolis escurridos.

También fuera de temporada

El ragú de cerezas se puede preparar también con cerezas en conserva. En este caso, en lugar del zumo de cerezas utilizaremos el agua de la conserva.

Página 52
CURSO DE COCINA Caramelo

Higos confitados con bolitas de semillas de amapola

PARA 6 RACIONES
PREPARACIÓN 1 hora 30 min.
+ MACERACIÓN 24 horas
+ REPOSO (MASA) 1 hora

PARA LOS HIGOS CONFITADOS
· 180 g de azúcar
· 1 ½ palos de canela
· la pulpa de 1 ½ vainas de vainilla
· 300 ml de vino de Oporto tinto
· 300 ml de vino tinto
· 120 ml de *Crème de Cassis*
  (licor de grosellas)
· 8 higos negros o brevas frescas

PARA LAS BOLITAS DE SEMILLAS
DE AMAPOLA
· 250 g de leche
· 100 g de mantequilla
· la pulpa de 1 vaina de vainilla
· 1 cs de miel
· 40 g de azúcar glass
· 40 g de sémola de trigo
· 150 g de semillas de amapola molidas
· 70 g de pan de molde sin corteza
· 1 huevo
· 1 yema

1. Para los higos confitados, caramelizar el azúcar en un puchero, añadir los palos de canela y la pulpa de vainilla. Después, disolver el caramelo con el Oporto, el vino tinto y el licor de grosellas. Reducir el caldo, en un cazo sin tapar, hasta ¼.

2. Lavar los higos con cuidado y meterlos en el caldo de vinos. Retirar el cazo del fuego y dejar los higos en el caldo durante 24 horas.

3. Al día siguiente, para preparar las bolitas de semillas de amapola, llevar la leche a ebullición junto con la mantequilla, la pulpa de vainilla, la miel y el azúcar glass. Retirar el puchero del fuego. Añadir la sémola y las semillas y dejar reposar la masa hasta que haya embebido todo el líquido. Calentar de nuevo la masa sin dejar de remover hasta que se separe de los bordes del puchero. Dejar enfriar.

4. Cortar el pan de molde en taquitos y mezclarlos en una ensaladera con el huevo y la yema. Unirlo todo con la masa de semillas de amapola. Dejar reposar la mezcla durante al menos 1 hora.

5. Poner abundante agua en un puchero ancho. Formar con la masa unas 12 bolitas, meterlas en el agua hirviendo para que cuezan. Una vez que hayan subido a la superficie, dejarlas algo más en el agua.

6. Sacar las bolitas del agua con una espumadera y ponerlas de 2 en 2 en los platos. Poner 2 higos en cada plato, partidos por la mitad o en cuartos, como más guste, y regarlo todo con un poco del caldo de vino.

Pasta choux

Con una cuchara de madera remover la masa en el puchero, a fuego fuerte, hasta que se separe de las paredes del recipiente. Así queda ligada toda la fécula de la harina, de ahí que a esta masa se la llame también masa escaldada (ver página 19).

Página 52
CURSO DE COCINA Caramelo

Página 82
PRODUCTOS Frutas del sur

Dátiles sobre nata con *spekulatius* (galletas de navidad)

PARA 4 RACIONES
PREPARACIÓN 25 min.
+ FRÍO mínimo 30 min.

INGREDIENTES
· 1 hoja de gelatina
· 50 g de *spekulatius*
  (galletas navideñas especiadas)
· 150 g de nata, 1 yema
· la pulpa de ½ vaina de vainilla
· 40 g de azúcar, una pizca de canela molida
· ralladuras de ½ limón y de ½ naranja,
  ambos de cultivo biológico
· 12 dátiles (unos 200 g)

ADEMÁS
· Corteza de canela para adornar

1. Ablandar la gelatina en agua fría. Entretanto, desmigar las galletas *spekulatius* (por ejemplo en una bolsa de congelar) y cocerlas junto con 80 g de nata, la pulpa de la vainilla, el azúcar y la canela. Retirar después el puchero del fuego y triturar su contenido con la batidora eléctrica. Añadir las ralladuras de limón y de naranja, escurrir la gelatina, écharla en la mezcla y disolverla removiendo. Batir la yema y mezclarla.

2. Revolver la mezcla de galletas sobre un baño María helado (ver truco en página 151) hasta que se enfríe. Montar el resto de la nata y mezclarlo. Poner la nata con la galleta a enfriar durante al menos 30 minutos.

3. Después, quitarles la piel a los dátiles, partirlos por la mitad y extraerles el hueso. Continuar el proceso como se muestra y se describe más abajo. Disponer 3 dátiles rellenos y decorados con la corteza de canela por ración.

PREPARAR LOS DÁTILES
pelar, deshuesar y rellenar los frutos

(1) Retirar la piel de los dátiles, especialmente en el caso de dátiles irregulares o un poco ásperos. No es necesario pelar los frutos que presentan la piel tersa y brillante. Después partir los dátiles por la mitad y quitarles el hueso.

(2) Poner la mezcla de nata y *spekulatius* en una manga con boquilla mediana y llenar generosamente una de las mitades de cada dátil.

(3) Poner la otra mitad sobre cada fruto y presionar ligeramente.

Cremas y mousses

Mousse de semillas de amapola sobre *coulis* de frutos del bosque

PARA 4 O 6 RACIONES
PREPARACIÓN 20 min.
+ FRÍO 3 horas

PARA LA *MOUSSE* DE AMAPOLA
· 2 hojas de gelatina
· 250 g de nata, 2 cl de coñac
· 3 yemas (huevos de tamaño L)
· 40 g de azúcar glass
· 125 g de semillas de amapola molida

PARA EL *COULIS* DE FRUTOS ROJOS
· 250 g de frutos rojos mezclados,
  frescos o congelados
· 35 g de azúcar
· 2 cl de *Crème de Cassis*
  (licor de grosellas)

1. Ablandar la gelatina en agua fría. Entretanto, montar la nata. Calentar el coñac en un cazo y desleír en él la gelatina escurrida.

2. Batir las yemas con el azúcar glass hasta lograr una crema espumosa. Agregar las semillas de amapola y mezclarlas rápidamente con la gelatina disuelta en coñac. Añadir la nata batida y poner la mezcla a enfriar en otra fuente durante 3 horas.

3. Mientras tanto, descongelar los frutos rojos, si es que los utiliza congelados. Si son frescos, limpiarlos ligeramente y dejarlos escurrir. Después, cocer los frutos junto con el azúcar hasta que se deshagan. Añadir el licor, dejar que la masa se enfríe y pasarla por el chino.

4. Cubrir el fondo del plato con un espejo de *coulis*. Poner 3 porciones de *mousse* de semillas sobre el *coulis*.

Página 34
CURSO DE COCINA Salsas de frutas

Un clásico famoso: la bavarois

La *bavarois* (crema bávara) tiene como base una crema de vainilla a la que se añaden gelatina y nata montada.

PREPARACIÓN DE LA CREMA BASE: llevar a ebullición 500 ml de leche con 1 vaina de vainilla. Retirar después la vainilla y rascar la pulpa mezclándola con la leche, que deberá mantenerse caliente. Con el batidor de varillas mezclar 4 yemas con 100 g de azúcar batiendo suavemente al principio y enérgicamente al final. Se ha de conseguir una masa cremosa pero en ningún caso espumosa, porque tendría demasiado aire. Sin dejar de remover, verter la leche con vainilla en la masa de azúcar y yemas. Con cuidado, calentar la crema removiendo siempre, hasta que se pegue a la cuchara, y al pasar el dedo quede una huella visible (ver página 24). Colar la crema por el chino para evitar que quede algún grumo.

ELABORACIÓN DE LA *BAVAROIS*: ablandar 7 hojas de gelatina y mezclarlas con la crema de vainilla caliente hasta que se haya deshecho la gelatina. Pasar la crema por el chino a una fuente que estará en un baño María helado. Remover la masa hasta que se enfríe. Es muy importante remover con cuidado, sin batir, ya que la crema no debe quedar espumosa. Cuando la crema esté fría, añadir la nata batida y mezclar. Ahora viene la fase decisiva para el éxito de la *bavarois*: la masa de base no debe estar ni demasiado caliente ni demasiado líquida porque, si no, la nata batida también se licuará. Si, por el contrario, está demasiado fría, la nata con gelatina se solidifica enseguida y la crema no sale homogénea. La consistencia ideal la tiene la *bavarois* cuando fluye espesamente de la cuchara. Enfriar bien y después volcar.

VARIANTES DE LA *BAVAROIS* la *bavarois* puede variar en cuanto al sabor y se puede aromatizar de diversas maneras, por ejemplo, añadiéndole café, chocolate, nueces o frutas.

Charlota de capuchino en salsa especiada de naranjas sanguina

PARA 4 RACIONES
PREPARACIÓN 1 hora 15 min.

PARA LA CHARLOTA
· 10 granos de café expreso (en su defecto, granos de café normal)
· 100 g de nata
· 1 hoja de gelatina
· 1 yema (unos 20 g)
· 3 ct de azúcar (15 g)
· un poco de vainilla molida
· un chorrito de licor de café
· 10 g de nata batida
· 1 clara (unos 30 g)
· 4 moldes individuales de 125 ml

PARA LA SALSA ESPECIADA
DE NARANJAS SANGUINA
· 4 naranjas sanguina, de entre ellas por lo menos 1 de cultivo biológico
· ½ rama de melisa
· 200 ml de zumo de naranja sanguina
· ½ palo de canela, un poco de vainilla molida
· un poco de canela, nuez moscada y clavo
· 40 g de azúcar, el zumo de 1 limón

PARA LA DECORACIÓN
· Papel para bombones, si se desea (en tiendas especializadas en repostería o en tiendas de artículos para el hogar)
· 6 granos de café expreso (o de café normal)
· 80 g de cobertura con leche

(1)

PREPARACIÓN DE LA SALSA ESPECIADA DE NARANJAS SANGUINA
Fuera de temporada, utilizar naranjas normales

(1) Vierta el zumo de naranja sanguina en un puchero. Agregue la ralladura de piel de naranja, el palo de canela, la vainilla molida, las especias y la rama de melisa y lleve todo a ebullición.

(2) Caramelice el azúcar con el zumo de limón en una sartén hasta que quede de color oscuro, y disuélvalo con el caldo de especias caliente.

(3) Deje enfriar la salsa y viértala con el chino sobre los filetes de naranja. Marine éstos hasta el momento de servir.

(2)

(3)

1. Para la charlota, picar gruesamente los granos de café. Cocer después la nata con los granos de café y dejar reposar la mezcla de 4 a 5 minutos. Ablandar la gelatina en agua fría. Pasar la salsa de nata y café por un chino. Si al hacerlo quedaran menos de 60 g, completar con nata hasta llegar a esa cantidad.

2. Batir la yema con 2 ct de azúcar y la vainilla hasta que quede espumosa. Mezclar la nata con café. Exprimir bien la gelatina reblandecida y añadirla también. Mezclarlo bien todo hasta que la gelatina se haya deshecho. Después poner la crema a enfriar hasta que cuaje. Tardará unos 15 minutos.

3. Montar, entretanto, la clara de huevo a punto de nieve con el resto del azúcar y mezclarlo junto con el licor de café y la nata batida. Forrar los moldes si se desea con el papel para bombones, verter la masa y ponerla a enfriar.

4. Para la salsa, lavar con agua caliente la naranja de cultivo biológico, secarla, rallar la mitad de la cáscara. Filetear las 4 naranjas, guardando el zumo resultante para echarlo sobre los filetes. Retirar la capa exterior de la rama de melisa. Continuar como se explica en la página anterior.

5. Para decorar, picar los granos de café en trozos gruesos. Templar (derretir) la cobertura como se explica en la página 47, fotografías 1 a 3, dejar enfriar; volver a calentar. Extender sobre papel de hornear y espolvorear los trozos de café por encima. Dejar que el chocolate se solidifique.

6. Volcar las charlotas y naparlas con la salsa de naranjas sanguina. Decorarlas con chocolate partido en trozos grandes.

Mousse de canela sobre salsa de caramelo

PARA 4 RACIONES
PREPARACIÓN 40 min.
+ FRÍO 4 horas

PARA LA *MOUSSE* DE CANELA
· 50 g de cobertura de chocolate blanco
· 140 g de nata
· 2 claras de huevo (huevos tamaño M)
· 25 g de azúcar
· 1 hoja de gelatina
· ½ ct de canela molida

PARA LA SALSA DE CARAMELO
· 25 g de azúcar glass
· 100 ml de zumo de naranja
· ½ vaina de vainilla
· 1 ct rasa de espesante, para ligar

1. Para la *mousse* de canela, derretir la cobertura de chocolate blanco al baño María y montar a punto medio 125 g de nata. Montar las claras de huevo con el azúcar a punto de nieve muy fuerte. Ablandar la gelatina en un poco de agua.

2. Escurrir un poco la gelatina reblandecida y mezclarla en el chocolate caliente. Agregar ahora la canela en polvo y remover la mezcla con el resto de la nata líquida. Agregar primero la clara a punto de nieve, después la nata. Poner la masa en el frigorífico un mínimo de 4 horas.

3. Entretanto, preparar la salsa de caramelo: poner el azúcar glass en un puchero al fuego y dejar que se caramelice sin dejar de remover, hasta que adquiera un color marrón claro. Disolver el caramelo inmediatamente con el zumo de naranja. Rascar la pulpa de la vainilla y echarla en la salsa junto con la vaina. Llevar la mezcla a ebullición y dejar cocer removiendo, hasta que se haya disuelto el azúcar.

4. Sacar la vaina de vainilla y ligar la salsa con el espesante disuelto en un poco de agua. Mezclar el espesante y llevar la mezcla de nuevo a ebullición, siempre removiendo. Dejar que cueza un poco y que espese. Hasta el momento de servir, poner también a enfriar la salsa de naranja y caramelo.

5. Verter en 4 platos de postre, o en cuencos, un fondo de salsa de naranja y caramelo. Sobre ella, disponer la *mousse* en porciones o ponerla con una manga pastelera de boquilla ancha. Adornar al gusto con la vaina de vainilla cortada en tiras.

Página 13
CURSO DE COCINA Gelatina

Página 52
CURSO DE COCINA Salsa de caramelo

Mousse de yogur con caramelo a la naranja

PARA 6 RACIONES
PREPARACIÓN 1 hora
+ **FRÍO** 26 horas

PARA EL CARAMELO A LA NARANJA
· 125 ml de zumo de naranja
· 125 g de mantequilla
· 250 g de azúcar
· 80 g de harina

PARA LA *MOUSSE* DE YOGUR
· 3 hojas de gelatina
· el zumo de 1 limón
· 100 g de azúcar glass
· 250 g de yogur, 2 cl de licor de naranja
· la pulpa de 1 vaina de vainilla
· 200 g de nata

ADEMÁS
· filetes de naranja y melisa para adornar

1. Preparar el caramelo a la naranja la víspera. Calentar el zumo de naranja, la mantequilla y el azúcar, de manera que el azúcar se disuelva. La mezcla no debe cocer. Agregar la harina y poner la mixtura a enfriar durante 24 horas.

2. Al día siguiente, para hacer la *mousse* de yogur, poner la gelatina en agua fría. Mezclar el zumo de limón y el azúcar glass, calentar y desleír la gelatina escurrida. Unir el yogur, el licor y la pulpa de vainilla y agregarlo todo a la mezcla de azúcar. Poner el conjunto en un baño María helado (ver recuadro página 151) y remover hasta que se enfríe. Montar la nata y añadirla. Poner la masa a enfriar unas 2 horas.

3. Entretanto, calentar el horno a 160 °C. Extender sobre papel de hornear, en una capa muy fina, la masa de naranja y caramelo y dorar en el horno caliente a media altura durante 15 minutos. Retirar el papel de hornear de la placa del horno y dejar que el caramelo se enfríe del todo antes de partirlo en pedazos.

4. Cubrir los platos de postre con el caramelo a la naranja, disponer las porciones o rodajas de la *mousse* sobre el caramelo. Decorar el postre con rodajas de naranja y hojas de melisa.

Mousse de *quark* con confitura de albaricoques

1. Para la *mousse*, llevar a ebullición, removiendo constantemente, la leche con 1 cs de azúcar, el flan de vainilla en polvo, la yema de huevo y la vainilla. Dejar que espese y ponerla a enfriar.

2. Entretanto, preparar la confitura: lavar los albaricoques, hacerles unos cortes en cruz en la parte inferior. Poner en un puchero agua a cocer, blanquear en ella los albaricoques 1 o 2 minutos y, finalmente, refrescarlos con agua fría. Con un cuchillo pequeño, retirar la piel y quitarles el hueso.

Un punto de nieve perfecto

Las claras de huevo deben estar limpias, es decir, sin restos de yema (y de la grasa que ésta contiene) y el batidor de varillas estará bien limpio, ya que la grasa impide el proceso de montar. Además no batir las claras nunca durante demasiado tiempo ya que así se separan sus componentes sólidos y líquidos. Para evitar esto, añadir a las claras a medio montar un poco de azúcar (ver también página 13)

3. Cortar los albaricoques en daditos y echarlos en el puré de albaricoque. Condimentar la salsa con zumo de limón y ponerla a enfriar.

4. Batir la nata con 1 cs de azúcar. Montar igualmente la clara de huevo añadiéndole poco a poco los 70 g de azúcar.

5. Picar muy fina la menta para la *mousse*. Hacer la crema de vainilla. Retirar el suero que haya podido formar el *quark* y batirlo de manera que quede cremoso. Mezclarlo con la crema de vainilla. Incorporar a la mezcla la clara a punto de nieve, la menta y la nata batida.

6. Poner la *mousse* en una manga pastelera con boquilla lisa y ancha y llenar con ella las copas de postre (aproximadamente hasta la mitad). Poner por encima la confitura.

PARA 4 RACIONES
PREPARACIÓN 45 min. (sin enfriar)

PARA LA *MOUSSE*
· 100 ml de leche
· 2 cs de azúcar
· 10 g de flan de vainilla en polvo
· 1 yema
· un poco de vainilla molida
· 100 g de nata
· 100 g de clara de huevo
· 70 g de azúcar
· 6 hojas de menta
· 100 g de queso *quark* (o de queso fresco)

PARA LA CONFITURA
· 2 albaricoques maduros
· 160 g de puré de albaricoques (receta en página 148)
· un poco de zumo de limón

SUGERENCIA DE PRESENTACIÓN: el postre se puede adornar también con canutillos de chocolate.

Tiramisú de ruibarbo

PARA 8 RACIONES
PREPARACIÓN 20 min.
+ FRÍO 3 horas

INGREDIENTES
· 150 g de bizcochos de soletilla (se pueden
  preparar en casa, ver receta en página 17)
· un café expreso doble, con azúcar
· 2 cl de *Amaretto*
· 3 hojas de gelatina
· 2 yemas de huevo, 65 g de azúcar glass
· 500 g de *mascarpone*
· 200 g de compota de ruibarbo
  (ver receta base en la página 89)
  pasada por el chino
· 2 cs de leche
· cacao para espolvorear

1. Desmigar ligeramente los bizcochos de soletilla, mezclar el café con el *Amaretto* y empapar los bizcochos en la mezcla. Ablandar la gelatina en agua fría.

Consistencia más blanda

Con la gelatina, el tiramisú adquiere una buena consistencia y se puede cortar bien. Si se desea más cremoso, bastará con no ponerle la gelatina.

2. Remover con el batidor eléctrico las yemas de huevo con el azúcar glass hasta que se consiga una mezcla muy cremosa. Añadir el *mascarpone* y después la compota de ruibarbo.

3. Escurrir la gelatina reblandecida. Calentar ligeramente la leche en un puchero y desleír en ella la gelatina, removiendo. Después, añadir la gelatina a la masa de ruibarbo y *mascarpone*, mezclándola rápidamente.

4. En una fuente poner sucesivamente, de dos en dos, capas de bizcochos emborrachados y de masa de *mascarpone* (la capa superior es de crema). Espolvorear el tiramisú con cacao y ponerlo a enfriar durante 3 horas.

Página 16
CURSO DE COCINA *Biscuit*

Tiramisú clásico

EL TIRAMISÚ CLÁSICO: receta base: batir 4 yemas de huevo con 75 g de azúcar hasta conseguir una mezcla espesa y cremosa. Añadir 500 g de *mascarpone* mezclándolos a cucharadas, y darle sabor a la crema agregando la ralladura de la cáscara de ½ limón de cultivo biológico. Cubrir una fuente rectangular con unos 75 g de bizcochos de soletilla. Mezclar un café doble con 4 cl de aguardiente y un poco de azúcar (o con 4 cl de *Amaretto*). Rociar los bizcochos con la mitad de la mezcla y luego extender idéntica proporción de la crema sobre ellos. Colocar una nueva capa de bizcochos, embeberlos con el café y cubrirlos con el resto de la crema de *mascarpone*. Dejar reposar el postre durante algunas horas en un lugar fresco y servirlo espolvoreado con abundante cacao.

VARIANTE – TIRAMISÚ *LIGHT*: en lugar de 500 g de *mascarpone*, utilizar solamente 250 g y mezclarlos con 150 g de *quark* batido y 100 g de yogur. Batir 2 yemas con el azúcar en lugar de 4. Continuar después como en la receta base.

VARIANTE – TIRAMISÚ CON NARANJA: batir 4 yemas de huevo con 75 g de azúcar hasta conseguir una crema espesa. Mezclar 500 g de *mascarpone* a cucharadas y condimentar la salsa con la ralladura de ½ naranja de cultivo biológico y con 2 cl de licor de naranja. Llevar a ebullición 100 ml de agua con 50 g de azúcar (o con miel de azahar) y 2 trozos grandes de cáscara de naranja. Dejar que la mezcla se enfríe un poco y añadir 2 cl de licor de naranja. Poner en la fuente una capa de bizcochos de soletilla (la mitad de un total de 150 g) y rociarlos con un poco del sirope de azúcar y naranja. Extender la mitad de la crema por encima. Colocar una nueva capa de bizcochos y rociarlos con el sirope. Extender por encima el resto de la crema. Dejar reposar el postre en un lugar fresco unas horas antes de servirlo, y presentarlo luego decorado con rodajas de naranja confitada, trozos o tiras de cáscara de naranja (ver también página 55 del Curso de Cocina "Cortezas de cítricos en solución de azúcar").

OTRO POSTRE ITALIANO CLÁSICO CON CREMA Y BIZCOCHO También la famosa *zuppa inglese* romana (página 112) es un postre hecho a base de crema, en este caso crema inglesa o crema de vainilla, y jugosos bizcochos emborrachados (entre otros ingredientes con bebidas alcohólicas).

Cassata en salsa de fresas y albahaca

PARA 4 RACIONES
PREPARACIÓN 30 min.
+ REPOSO 30 min.

PARA LA *CASSATA*
· 15 g de piñones
· 15 g de nueces
· 20 g de cerezas confitadas picadas (guindas)
· 20 g de cidra confitada picada
· 20 g de naranja confitada picada

· 30 ml de licor de fruta de la pasión (o de lima de fruta de la pasión)
· 3 hojas de gelatina
· 100 g de clara de huevo
· 80 g de azúcar
· 100 g de nata

PARA LA SALSA
DE FRESAS Y ALBAHACA
· 150 g de fresas
· 30 g de azúcar glass

· un chorrito de zumo de limón
· 1–2 cs de licor de fresas
· 2 hojas de albahaca

ADEMÁS
· 4 fresas, partidas por la mitad
· 2 cs de azúcar de caña sin refinar
· vinagre balsámico añejo (de al menos 10 años)

1. Para la *cassata*, saltear en una sartén sin grasa los piñones, hasta que se doren y despidan su aroma. Después picarlos junto con las nueces. Rociar las guindas, la cidra, la naranja confitada y las nueces con el licor de fruta de la pasión. Mezclarlo todo bien y dejarlo reposar tapado durante unos 30 minutos.

2. Pasado este tiempo, poner la gelatina en agua fría. Batir la clara de huevo con el azúcar a punto de nieve. Montar también la nata. Escurrir la gelatina y ponerla en un puchero al fuego para que se derrita y luego mezclarla poco a poco con la nata montada.

3. Añadir las frutas confitadas a la nata y finalmente agregar las claras a punto de nieve. Mezclarlo todo con cuidado, llenar 4 copas de postre y ponerlo en frío.

4. Para la salsa, lavar las fresas, limpiarlas y hacer un puré tri- turándolas con el batidor eléctrico junto con el azúcar glass, el zumo de limón, el licor y la albahaca.

5. Terminar de llenar las copas con la salsa. Untar en el azúcar de caña, por el lado del corte, las 8 medias fresas y disponerlas en la salsa con el azúcar hacia arriba. Salpicar las fresas con el vinagre balsámico; esto se realiza bien con un cucurucho hecho en casa (ver página 37).

Picar las nueces con rapidez

Si necesita una cantidad grande de este postre, por ejemplo para 12 comensales, lo mejor es picar las nueces o, en su caso, los piñones necesarios con el picador eléctrico.

Página 37
CURSO DE COCINA Confeccionar mangas pasteleras

Panacota con ciruelas

PARA 4 RACIONES
PREPARACIÓN 1 hora + FRÍO 2 horas

PARA LA COMPOTA DE CIRUELAS
· 300 g de ciruelas deshuesadas
· 125 g de azúcar, una pizca de canela molida
· una pizca de nuez moscada recién molida

PARA LA *PANACOTA*
· 1 vaina de vainilla
· 350 g de nata, 60 g de azúcar
· 3 hojas de gelatina
· 4 moldes de 125 ml

1. Para la compota, cortar las ciruelas en cuartos y cocerlas en 50 ml de agua, añadir el azúcar, la canela y la nuez moscada; cocer tapado durante 5 minutos y dejar enfriar. Poner un trozo de ciruela de la compota en el fondo de cada uno de los moldes.

2. Para la *panacota,* cortar a lo largo la vaina de vainilla y rascar la pulpa. Poner la pulpa con la vaina, la nata y el azúcar en un puchero y llevar la mezcla a ebullición. Retirar el puchero del fuego y dejar que se enfríe durante 5 minutos.

3. Entretanto, ablandar la gelatina en agua fría. Retirar la vaina de vainilla de la nata.

4. Añadir la gelatina a la mezcla de nata y repartir el líquido en los moldes. Taparlos y ponerlos a enfriar durante 2 horas.

5. Para servirlo, distribuir un poco de compota de ciruelas en cada plato. Volcar sobre cada uno un molde (recuadro en la página 75) y, si se desea, servir con salsa caliente de vainilla y almendras (ver elaboración abajo).

(1)

ELABORACIÓN DE SALSA DE VAINILLA CON ALMENDRAS
Exquisita gracias al suave aroma de caramelo

(1) Calentar 25 g de mantequilla en un puchero y añadir 25 g de azúcar, de manera que se disuelva. Agregar almendras picadas y dejar que se caramelicen muy ligeramente, después verter 250 g de nata.

(2) Con un cuchillo afilado abrir 1 vaina de vainilla a lo largo, rascar la pulpa y echar ésta y la vaina en la salsa.

(3) Cocer todo brevemente y pasarlo, finalmente, por un colador muy fino.

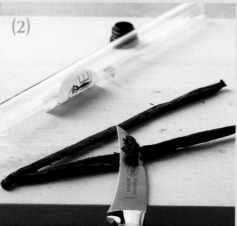

(2)

(3)

Zuppa inglesa «Indian Summer»

PARA 8 RACIONES
PREPARACIÓN 2 horas

PARA EL BIZCOCHO
· 2 huevos (tamaño XL)
· 75 g de azúcar, 75 g de harina
· 1 punta de cuchillo de levadura
· molde para bizcocho
  de 18 cm Ø
· grasa para el molde

PARA EL RELLENO DE CALABAZA
· 375 g de carne de calabaza
  (unos 700 g de calabaza
  sin pelar)

· 1 ct de azúcar de caña sin
  refinar (una alternativa
  puede ser azúcar moreno)
· 20 g de mantequilla
· 350 g de nata
· 25 g de miel de azahar

**PARA EL RELLENO
DE CIRUELAS**
· 375 g de ciruelas sin hueso
  (unos 500 g de fruta)
· 20 g de azúcar de caña sin
  refinar (una alternativa
  puede ser azúcar moreno)
· 1 ct de jengibre picado

PARA EL SIROPE
· un poco de espesante
· 2 cs de sirope de arce
· 2 cl de aguardiente de ciruela

ADEMÁS
· un cuenco de 18 cm Ø
· finísimas lonchas
  de ciruelas moradas

1. Batir los huevos con el azúcar hasta conseguir una crema muy espesa. Mezclar la harina con la levadura, tamizar y mezclar con la masa de huevo. Precalentar el horno a 170 °C.

2. Cubrir el fondo del molde con papel de hornear y engrasar bien el borde. Verter la masa del bizcocho en el molde y hornear (zona baja del horno) de 15 a 20 minutos. Sacarlo, dejarlo enfriar y cortar el bizcocho horizontalmente en 4 bases.

3. Cortar la carne de calabaza en gajos grandes, ponerlos sobre papel de aluminio y espolvorearlos con el azúcar de caña. Repartir por encima la mantequilla en copos. Cerrar el papel de aluminio formando un paquetito, colocar éste sobre una placa de horno y hornear durante 45 minutos hasta que estén blandos.

4. Sacar los gajos de calabaza del horno y meterlos tapados en el frigorífico durante unos 15 minutos para que se enfríen. Luego triturar la calabaza con 100 g de nata y con la miel de azahar.

Con fruta envasada

En caso de no poder conseguir ciruelas frescas, utilice sencillamente la misma cantidad de ciruelas en conserva. Después, llevar a ebullición 200 ml de zumo de ciruelas, ligarlo con espesante, añadir las ciruelas y dejar enfriar.

5. En 3 cs de agua, cocer las ciruelas, añadir el azúcar y el jengibre y dejarlo cocer 5 minutos a fuego medio con el puchero tapado. Retirar para el sirope 2 cs de zumo y mezclarlo en una taza con un poco de espesante. Dejar que se enfríe un poco. Mezclarlo después con el sirope de arce y el aguardiente de ciruelas.

6. Montar el resto de la nata. Dividir la masa de calabaza en ¾ para la primera capa y en ¼ para la segunda. Añadir con mucho cuidado la mitad de la nata.

7. Poner las bases de bizcocho juntas y rociarlas uniformemente con el sirope de ciruelas. Acomodar una de las bases en el cuenco, sobre ella verter la mayor parte del relleno de calabaza. Colocar con cuidado la siguiente capa de bizcocho, sobre ella las ciruelas cocidas, y sobre ésta una nueva base de bizcocho embebida en sirope.

8. Distribuir por encima la porción pequeña del relleno de ciruela y poner la última base de bizcocho encima. Volcar la *zuppa inglese* y cubrirla con láminas de ciruela.

Zuppa *inglesa clásica*

Bizcochos emborrachados en licor entre capas de crema: uno de los postres favoritos de muchos italianos. El nombre lo recibe la *zuppa inglese* probablemente de la crema de vainilla que se necesita para este postre: los profesionales se refieren a ella como "crema inglesa" (página 24).

PREPARACIÓN: llevar a ebullición 500 ml de leche con ½ vaina de vainilla. Retirarla y raspar la pulpa sobre la leche. Batir con el batidor de mano 5 yemas de huevo y 30 g de azúcar hasta conseguir una mixtura cremosa. Añadir, lentamente y removiendo, la leche caliente a la mezcla de huevos. Volver a calentar la crema hasta que espese, ¡pero no debe hervir! Separar ⅓ de la crema de vainilla. Montar a punto de nieve 2 claras de huevo y espolvorearlas con 70 g de azúcar. Mezclar las claras montadas con el resto de la crema de vainilla. Después mezclar 250 g de *ricotta* con 50 g de azúcar hasta que quede una mezcla cremosa, añadir el tercio de la crema que se había separado y añadir 80 g de cobertura muy picada. Mezclar 80 ml de almíbar (recuadro página 139) con 8 cl de *Amaretto*. Cubrir el fondo de una fuente con bizcochos de soletilla y empaparlos con la mezcla de *Amaretto* y almíbar. Extender por encima la crema de chocolate. Volver a poner una capa de bizcochos de soletilla, de nuevo emborracharlos bien con el *Amaretto*. Poner por encima la mitad de la crema de vainilla, cubrirla con bizcochos emborrachados. Extender otra vez el resto de la crema de vainilla y cubrirla con bizcochos de soletilla. Meterlo en el frigorífico 3 o 4 horas.

PRESENTACIÓN: decorar el postre con virutas de chocolate negro y 50 g de cerezas. Espolvorearlo con azúcar glass en el momento de servir.

Milhojas con crema de yogur y *sabayon* de lima

PARA 4 RACIONES
PREPARACIÓN 45 min.
+ HORNO 50 min.

INGREDIENTES
· 250 g de masa de hojaldre
  congelada

PARA LA CREMA DE YOGUR
· 2 hojas de gelatina
· 1 yema de huevo (tamaño L)

· el zumo de 1 lima
· el zumo de 1 naranja
· 40 g de azúcar
· 60 g de queso *quark*
· 150 g de yogur
· 75 g de nata

PARA LA SALSA *SABAYON*
· 2 yemas de huevo, 40 g de azúcar
· el zumo de 2 limas
· 30 ml de vino blanco

Se puede preparar el milhojas con masa de hojaldre hecha en casa o con masa de hojaldre congelada.

1. Extender la masa de hojaldre sobre la superficie de trabajo para que se descongele. Entretanto, preparar la crema de yogur: poner la gelatina en agua fría. Batir en un recipiente puesto al baño María la yema, el zumo de lima y el de naranja así como el azúcar.

2. Exprimir bien la gelatina y disolverla removiendo en el líquido caliente. Finalmente, poner el recipiente en un baño María helado (ver recuadro página 151) y remover la mezcla hasta que se enfríe. Agregar el *quark* y el yogur. Montar la nata y luego añadirla con cuidado. Poner la masa para que cuaje en el frigorífico hasta que se necesite de nuevo.

3. Entretanto, calentar el horno a 190 °C. Poner las placas de masa descongeladas una sobre otra y pasar el rodillo hasta que tenga $\frac{1}{2}$ cm de grosor y una superficie de 16 x 16 cm. Cortar la masa en 4 cuadrados de unos 8 x 8 cm y ponerlos sobre una placa de horno cubierta con papel de hornear. Meter la placa en el horno caliente (a media altura) y hornear durante unos 20 minutos.

4. Sacar después la placa del horno y dejar que el horno se enfríe a 150 °C (poner el termostato a 150 °C y esperar a que vuelva a encenderse la luz de calentamiento). Después, hornear otra vez la masa durante 30 minutos. Retirar los hojaldres de la placa para que se enfríen.

5. Para el *sabayon*, mezclar y trabajar todos los ingredientes al baño María hasta que queden ligados. Cortar los trozos de hojaldre por la mitad en sentido horizontal. Remover la crema de yogur y cubrir con ella las capas de los hojaldres, colocar la parte superior y poner los pasteles en platos. Napar con el *sabayon*.

Prever el tiempo de reposo

Si se trabaja con hojaldre hecho en casa, prepararlo el día antes. Utilizar la mitad de las cantidades de la receta de la página 198. Si lo desea, puede dar a la masa más vueltas (enrollar, y extender) de las que se dicen en la receta.

Página 13
CURSO DE COCINA Gelatina

Página 43
CURSO DE COCINA *Sabayon*

Ganache con láminas de merengue

PARA 4 RACIONES
PREPARACIÓN 35 min.
+ SECADO DEL MERENGUE 4 horas

PARA LA *GANACHE*
- · 150 g de cobertura oscura
- · 125 g de nata
- · 25 g de azúcar
- · 30 g de mantequilla
- · 1 gota de aceite de lavanda

PARA LAS LÁMINAS DE MERENGUE
- · 25 g de clara de huevo (de 1 huevo tamaño M)
- · 25 g de azúcar glass
- · 3 g de fécula de trigo
- · molde de agujeros de goma celular
  (ver recuadro)

Hacer una plantilla
La goma celular se puede adquirir en tiendas especializadas en manualidades. Poner 2 láminas de goma de 35 x 35 cm una sobre otra (en total 4 mm de grosor). Trazar con el compás 16 círculos de 6 cm de diámetro y recortarlos con un cúter.

1. Preparar primero la masa de merengue: en un recipiente batir la clara a punto de nieve fuerte; añadir poco a poco el azúcar glass y, al final, la fécula.

2. Cubrir una placa de horno con papel de hornear. Poner encima la plantilla de goma celular. Extender por encima con una espátula la masa de merengue y luego retirar la plantilla con cuidado. Meter los círculos de merengue en el horno a 70 °C y dejar secar durante 4 horas.

3. Tan pronto como tenga el merengue en el horno, preparar la *ganache*: cortar en trocitos pequeños la cobertura y ponerlos en una ensaladera. Llevar a ebullición la nata y el azúcar, siempre removiendo, y verter la mezcla sobre la cobertura. Con una cuchara de madera, remover hasta lograr una masa lisa y brillante. Añadir la mantequilla y la esencia de lavanda, mezclarlo con el batidor eléctrico y poner la crema a enfriar.

4. Desprender con cuidado las láminas de merengue del papel de hornear y dejarlas enfriar. Antes de servir, batir la *ganache* hasta que esté espumosa y repartirla sobre 12 de las láminas de merengue. Poner 3 láminas de merengue con crema por ración y coronando un merengue sin crema. Servir el postre inmediatamente para que el merengue no se reblandezca.

Hojas de lavanda

Si se tiene lavanda auténtica en el jardín se pueden utilizar las flores en lugar del aceite de lavanda: cocer 1 o 2 flores en la mezcla de nata y azúcar y luego retirarlas. Las flores frescas de lavanda también quedan muy bonitas como adorno de las torres de merengue (ver la fotografía de la izquierda).

Página 14
CURSO DE COCINA Merengue

Mousse de mazapán y cucharas de barquillo con piña al grill

PARA 4 RACIONES
PREPARACIÓN 1 hora. 15 min.
+ FRÍO 4 horas.

PARA LA *MOUSSE* DE MAZAPÁN
· 150 g de masa cruda de mazapán
· 2 hojas de gelatina
· 3 huevos (tamaño L)
· 60 g de azúcar glass
· 2 cs de leche, 2 cl de ron
· 250 g de nata

PARA LAS CUCHARAS DE BARQUILLO
· 60 g de masa cruda de mazapán
· 60 g de azúcar glass

· una pizca de cardamomo molido
· 3 cs de leche, 60 g de harina

PARA LA PIÑA AL GRILL
· 20 g de mantequilla
· 20 g de azúcar de caña sin refinar
  (o de azúcar moreno)
· 4 rodajas de piña de apenas un dedo de grosor
  (o de piña en conserva escurrida)
· 8 pinchos para brochetas de unos 10 cm
  de longitud

ADEMÁS
· un trozo de cartulina firme (DIN A5), cúter
· 1 cs para modelo de plantila

ELABORACIÓN DE LAS CUCHARAS DE BARQUILLO
Dar la vuelta a la bandeja del horno, así resulta más fácil extender la masa.

(1) Preparar la plantilla: colocar una cuchara sopera sobre la cartulina y dibujar el contorno con un lápiz. Recortar las siluetas con un cúter.

(2) Precalentar el horno a 180 ˚C. Colocar la plantilla sobre la placa del horno cubierta con papel de hornear. Extender la masa con una espátula y levantar la plantilla. Repetir este proceso al menos 4 veces.

(3) Hornear las cucharas de mazapán en el horno caliente (a media altura) durante 8 minutos hasta que tomen color. Colocarlas rápidamente con la espátula sobre las cucharas preparadas de manera que al enfriarse adopten la forma curva de la cuchara.

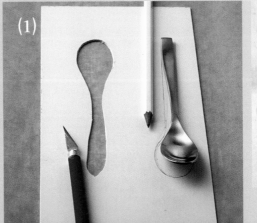

(1)

(2)

1. Preparar primero la *mousse*: calentar la masa de mazapán al baño María para que se ablande. Poner las hojas de gelatina en agua fría. Separar las yemas de las claras y apartar 1 de las claras (las otras 2 no se necesitarán en esta receta). Batir las yemas con el azúcar glass hasta conseguir una mezcla muy cremosa y añadir a ellas el mazapán y la leche. Luego, calentar el ron en un puchero, escurrir las láminas de gelatina y desleírlas en el ron. Añadir también esta mezcla a la masa de mazapán. Batir la nata a punto fuerte, mezclarla con cuidado y poner la masa de *mousse* a enfriar durante unas 4 horas.

2. Pasadas 2 ½ horas, comenzar con la preparación de las cucharas de barquillo. Para la masa, batir a punto de nieve la clara de huevo reservada. Cortar el mazapán en taquitos pequeños y amasarlo junto con el azúcar glass y el cardamomo hasta lograr una masa lisa. Agregar en primer lugar la leche, después la clara batida y por último incorporar con cuidado la harina. Poner la masa en frío durante 45 minutos. Preparar ahora la plantilla (página 118, paso 1) y continuar trabajando como se muestra y explica en las instrucciones.

3. Mientras se enfrían las cucharas de barquillo preparar las brochetas de piña: derretir la mantequilla con el azúcar removiendo hasta que ésta se disuelva. Cortar las rodajas de piña en trozos regulares y ensartarlos en las brochetas. Pintarlos con la mantequilla azucarada y finalmente ponerlos en el horno con el grill encendido, a media altura, durante unos 3 minutos. Servir las brochetas con dos porciones de *mousse* de mazapán y 2 cs de masa de almendras.

(3)

Nubes de *quark* sobre salsa de naranjas y estragón

PARA 8 RACIONES
PREPARACIÓN 45 min.
+ FRÍO 3 horas.

PARA LA ESPUMA DE *QUARK*
· 250 g de queso *quark* (desnatado
  o 20% de materia grasa)
· 4 huevos
· 120 g de azúcar
· la ralladura de las cáscaras de ½
  naranja y de ½ limón de cultivo
  biológico
· 3 hojas de gelatina
· el zumo de 1 limón
· 150 g de nata

PARA LA SALSA DE NARANJA
Y ESTRAGÓN
· 75 ml de vino blanco
· 150 ml de zumo de naranja
· 2 cs de miel de flores
· 50 g de azúcar
· la pulpa de 1 vaina de vainilla
· 1 hoja de laurel
· 1 anís estrellado
· 25 g de estragón fresco
· 50 g de mantequilla helada

ADEMÁS
· unas hojitas de estragón
  fresco para decorar

Ingrediente habitual de salsas blancas, el estragón amplía aquí los aromas del vino y de la naranja.

1. Eliminar el líquido (suero) que se acumula en la parte de arriba del *quark*. Separar los huevos y retirar 2 de las yemas. Echar las otras 2 yemas con la mitad del azúcar en una fuente que se caliente bien (por ejemplo, de acero inoxidable), ponerla al baño María caliente y batir hasta que la masa esté ligada. Mezclar ahora el *quark* escurrido y añadir las ralladuras de naranja y de limón.

2. Ablandar la gelatina en agua fría y después desleírla en un puchero junto con el zumo de limón a fuego bajo y añadirla a la masa de *quark*.

3. Montar las claras de huevo con el resto del azúcar. Montar igualmente la nata. Remover brevemente la masa de *quark* sobre un baño María helado (ver truco en página 151). Mezclar primero la clara y luego la nata batida con la masa de *quark* y poner la espuma a enfriar durante 3 horas.

4. Poco antes de servir el postre preparar la salsa de naranja y estragón. Para ello, poner todos los ingredientes, excepto la mantequilla, en un puchero con 100 ml de agua. Cocerlo todo brevemente sin dejar de remover, pasarlo luego por un chino y dejar que cueza de nuevo durante 5 minutos a fuego suave. Ahora, y sin dejar de remover, añadir a la salsa de naranja la mantequilla helada a pequeños trozos.

5. Distribuir en los platos la salsa de naranja y estragón, adornar con unas hojas de estragón fresco. Sacar con una cuchara de postre o con una cuchara sopera porciones, "nubes" de la espuma de *quark*, y ponerlas sobre la salsa

Página 13
CURSO DE COCINA Gelatina

Tarrina de jalea
de suero de mantequilla

PARA 10 RACIONES
PREPARACIÓN 1 hora 15 min.
+ FRÍO 3 horas

PARA EL BIZCOCHO
· 6 huevos (tamaño L)
· 150 g de mantequilla blanda
· 150 g de masa de mazapán cruda
· una pizca de sal
· la ralladura de la cáscara de ½ limón
  de cultivo biológico
· la pulpa de ½ vaina de vainilla, 150 g de azúcar
· 75 g de harina de trigo
· 75 g de fécula de trigo

PARA LA JALEA DE SUERO DE MANTEQUILLA
· 500 g de suero de mantequilla frío
· 130 g de azúcar
· la pulpa de 1 vaina de vainilla
· 5 hojas de gelatina
· el zumo de 1 limón
· 20 g de miel
· 200 g de nata

ADEMÁS
· molde de 30 cm de largo
· azúcar glass y frutos rojos frescos
  para decorar

ELABORACIÓN DEL BIZCOCHO
Lo mejor es trabajar con un molde

(1) Ir colocando una tras otra finas capas de masa, horneando cada nueva capa hasta que tenga un ligero color tostado. Seguir trabajando de esta manera, capa a capa, hasta que no quede más masa.

(2) Con un cuchillo, cortar el bizcocho ya frío en láminas de alrededor de 1 cm de grosor y del tamaño del molde.

(3) Cubrir el molde con las láminas del bizcocho de tal manera que la superficie de corte quede contra el fondo y las paredes y que se superpongan, más o menos, al gusto de cada cual.

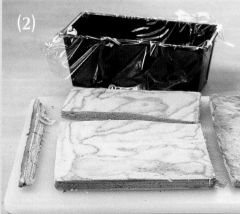

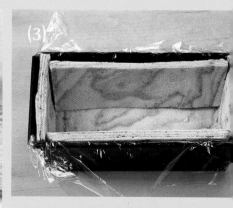

1. Para el pastel, separar las claras de las yemas y batir éstas con la mantequilla, el mazapán, la sal, la ralladura de limón y la pulpa de la vainilla en una mezcla cremosa. Finalmente, montar las claras con el azúcar a punto de nieve. Mezclar y tamizar la harina y la fécula de trigo. Precalentar el gratinador del horno a temperatura media. Cubrir una bandeja de horno con papel de hornear.

2. Mezclar alternativamente la harina y las claras montadas con la masa de mazapán. Con la espátula, extender en una capa muy fina un poco de masa sobre el papel, sobre una superficie de unos 30 x 40 cm y hornearla en el grill hasta que tome un color dorado. Continuar trabajando como se explica en el paso 1. Dejar enfriar un poco la masa y luego cortar tiras delgadas (paso 2).

3. Cubrir el molde con papel *film* transparente. Forrar después el molde con capas de pastel como se describe en el paso 3. Si sobra pastel, se puede utilizar para poner capas intermedias o para cubrir la tarrina.

4. Para la jalea de suero de mantequilla hay que mezclar el suero de mantequilla, el azúcar y la pulpa de vainilla y ablandar la gelatina en agua fría. Calentar en un pucherito el zumo de limón y la miel. Escurrir ligeramente la gelatina, añadirla a la mezcla de miel y limón y disolverla.

4. Montar la nata y agregarla a la masa de suero de mantequilla. Verter la masa en el molde ya preparado, cubrirlo con masa del pastel y ponerla a enfriar durante un mínimo de 3 horas. Finalmente, servir la tarrina cortada en láminas y con los frutos rojos rebozados en azúcar glass.

Helados, sorbetes y granizados

Granizado de *beaujolais* en peras pochadas

PARA 4 RACIONES
PREPARACIÓN 25 min. (sin contar
el tiempo para enfriar el caldo)
+ FRÍO 3 horas

INGREDIENTES
· 375 ml de *beaujolais* (o también
  otro vino tinto menos herbal)
· 100 g de azúcar de caña sin refinar
· tiras de corteza de ½ limón de
  cultivo biológico
· 10 g de jengibre pelado
· 2 granos de pimienta de Jamaica
· 50 g de jalea de arándanos
· 2 peras no demasiado maduras o
  blandas (por ejemplo Williams)
· 25 ml de sirope de arce

Como sorbete *Con la mezcla
del vino tinto se puede hacer
un cremoso sorbete en lugar
del granizado. La preparación
es la misma, pero una vez
puesta a enfriar la mezcla
de vino y especias hay que
removerla enérgicamente
con un batidor cada 30
minutos. Con ello se evita lo
que se desea conseguir de
un granizado, es decir, que
se formen cristales gruesos.
En su lugar tendremos un
sorbete.*

1. Poner a cocer el vino con el azúcar, la cáscara de limón, el jengibre, la pimienta y la jalea de arándanos. Mientras tanto, pelar las peras, partirlas por la mitad y quitarles generosamente el corazón.

2. Introducir las peras partidas en el caldo de vino hirviendo y dejarlo reposar con el puchero tapado y el fuego apagado hasta que el caldo se enfríe. Las peras tienen que estar bien blandas, pero sin que se deshagan. Después, sacar las peras del puchero y ponerlas en frío.

3. Pasar el caldo de las peras por un colador y mezclar la mitad del mismo con el sirope de arce. Verter el líquido en un recipiente que conduzca bien el frío (de acero inoxidable o de aluminio) y meterlo en el congelador a -18 °C durante 3 horas. Cada 30 minutos empujar los cristales de hielo con una cuchara hacia el centro.

4. Para servirlo, llenar las medias peras bien frías con el granizado de *beaujolais*.

SUGERENCIA DE PRESENTACIÓN: adornar el postre con hojitas de menta y disponerlo en platos sobre los que habrá rociado un poco de sirope de arce y algo de azúcar glass.

Sorbete de melón *cantaloup* con caramelo de miel

PARA 4 RACIONES
PREPARACIÓN   30 min.
+ FRÍO 30 min.

PARA EL SORBETE
· 100 g de azúcar
· 2 limas de cultivo biológico
· 500 g de carne de melón *cantaloup*
  (una pieza de unos 800 g)
· sorbetera o máquina
  para hacer helado

PARA EL CARAMELO DE MIEL
· 20 g de mantequilla blanda
· 20 g de miel de acacias
· 30 g de azúcar glass
· 15 g de harina

1. Hacer un almíbar con el azúcar y 100 ml de agua; dejar enfriar. Lavar las limas con agua caliente, secarlas, rallar 2 cs de cáscara y exprimir las frutas. Triturar el melón con el zumo de las limas, la ralladura y el sirope. Enfriar el puré unos 30 minutos de manera que quede una crema fría.

2. Formar una masa lisa con los ingredientes para el caramelo. Con ayuda de papel para conservar los alimentos, hacer una tira de 3 cm de grosor. Ponerla en el congelador envuelta en el papel.

3. Cuando el sorbete esté ya casi frío, precalentar el horno a 200 °C. Cortar la tira de masa en rodajas de aproximadamente ½ cm de grosor, ponerlas un poco separadas en una bandeja de horno cubierta con papel de hornear y dorarlas en el horno a media altura de 5 a 7 minutos. Retirar de la bandeja el caramelo con el papel de hornear, dejar que se enfríe bien y romperlo en trozos irregulares.

4. Con una cuchara o con un dispensador pequeño de helado distribuir el sorbete en tazas de café y adornarlo con trozos de caramelo. Servir inmediatamente.

Sorbete de bayas de saúco

1. Elaborar un almíbar al 2:1 con 500 ml de agua y 250 g de azúcar. Para ello, poner el azúcar con el agua en un puchero, llevarlo a ebullición y dejarlo cocer durante 5 minutos (ver también el recuadro de la página 139).

Elaboración del sirope de flores de saúco

Lavar las umbelas del saúco y arrancar las bayas con los dedos (también se pueden dejar en el congelador durante la noche y entonces resulta aún más fácil).

Después, cocerlas con 150 g de azúcar y extraerles el zumo en la licuadora. De esta manera obtendrá de 5 l de umbelas de saúco unos 500 ml de sirope de bayas de saúco. Mezclado con agua fría sustituirá al zumo de bayas de saúco que se necesita para esta receta. O también puede preparar un aperitivo añadiendo un poco de sirope al champán.

Después, dejar que el almíbar se enfríe bien.

2. Mezclar el almíbar frío con el zumo de limón y el de bayas de saúco. Finalmente, poner la mezcla en un recipiente que conserve bien el frío (por ejemplo, de acero inoxidable) y meterlo en el congelador durante 30 minutos.

3. Después, montar la clara con 1 cs de azúcar a punto de nieve muy fuerte.

4. Remover la mezcla de frutas escarchada hasta que quede lisa y añadirle la clara montada.

5. Poner todo en la heladora y dejar que enfríe durante unos 15 minutos.

6. Mientras, introducir las copas de cóctel en las que se va a servir el sorbete en el congelador.

7. Una vez frío, servir inmediatamente en las copas de cóctel.

PARA 6 RACIONES
PREPARACIÓN 15 min. (sin el tiempo para enfriar el agua con azúcar) + FRÍO 45 min.

INGREDIENTES
· 250 g de azúcar + 1 cs de azúcar
· 2 ct de zumo de limón
· 350 ml de zumo de bayas de saúco sin endulzar (establecimientos de dietética)
· 1 clara de huevo (tamaño L)

ADEMÁS
· Sorbetera o heladora
· 6 vasos de cóctel

SUGERENCIA DE PRESENTACIÓN: adornar el sorbete como en la fotografía de la izquierda, con virutas de chocolate blanco; le dará un toque de color y de sabor.

Helado de romero con bolitas de manzana

PARA 4 RACIONES
PREPARACIÓN 30 min.
+ FRÍO 30 min.
(en la heladora)

PARA EL HELADO DE ROMERO
· ½ vaina de vainilla
· 200 ml de leche
· 200 g de nata
· 1 rama de romero
· 2 yemas, 60 g de azúcar

· una pizca de sal
· heladora

PARA LAS BOLITAS
DE MANZANA
· 4 manzanas
· 300 ml de zumo de manzana
· 100 g de azúcar
· el zumo de 1 limón
· ½ palo de canela

PARA LA SALSA DE CARAMELO
· 200 g de azúcar
· 1 cs de miel
· 20 g de mantequilla

TAMBIÉN
· ramas frescas de romero
 para adornar

1. Para el helado de romero, abrir longitudinalmente la vaina de vainilla. Poner en un puchero y llevar a ebullición la leche, la nata, la vainilla y la rama de romero. Entretanto, batir la yema con el azúcar y la sal en una ensaladera hasta conseguir una mezcla cremosa y verter esta mezcla de leche hirviendo en la de yema y azúcar. Poner el recipiente al baño María helado y remover hasta que se enfríe (ver recuadro en la página 151).

2. Pasar la mezcla por un colador, ponerlo en la heladora de 20 a 30 minutos. Como alternativa se puede meter el helado en el congelador unas 2 horas (ver recuadro).

3. Entretanto, pelar las manzanas y sacar bolitas con el vaciador.

4. Llevar a ebullición en un puchero el zumo de manzana con el azúcar, el zumo de limón y el palo de canela. Pochar ahí las bolitas de manzana 4 o 5 minutos, de manera que queden *al dente*. Finalmente, asustarlas con agua fría.

5. Para la salsa de caramelo, caramelizar ligeramente el azúcar en un puchero y después disolverlo con 200 ml de agua caliente. Dejar que todo hierva de nuevo y añadir después la miel y la mantequilla.

6. Retirar el puchero del fuego, colocar las bolitas en la salsa de caramelo y dejarlas reposar ahí dentro hasta que el helado esté listo. Servir entonces el helado de romero con las manzanas en salsa de caramelo.

Preparar helado en el congelador

Si no posee una máquina de hacer helados, puede hacer esta receta, o cualquier otro helado o sorbete, fácilmente sin ese aparato. Para ello, verter la masa de helado en una fuente de gratinar o en una fuente esmaltada y ponerla a enfriar, tapada, en el congelador durante 30 minutos, remover y volver a enfriar otros 30 minutos. Repetir este proceso otras 2 veces. Así se habrá formado una masa de helado de consistencia firme y cremosa.

SUGERENCIA DE PRESENTACIÓN: repartir las bolitas de manzana en platos y poner en el centro de cada uno de ellos una bola de helado de romero. Napar el postre con salsa de caramelo y decorarlo con romero en rama.

Parfait de semillas de calabaza sobre espuma de membrillo y champán

PARA 4 RACIONES
PREPARACIÓN 1 hora.
+ FRÍO 2 horas 30 min.

PARA LA ESPUMA DE MEMBRILLO
Y CHAMPÁN
· 2 membrillos
· 1 cs de azúcar glass
· 200 ml de champán (o de cava)

PARA EL *PARFAIT*
· 40 g de semillas de calabaza
· 130 g de azúcar glass
· 300 g de nata
· la pulpa de 1 vaina de vainilla
· 5 yemas (huevos tamaño L)
· 1 ct rasa de aceite de semillas
  de calabaza (4 g)
· 4 moldes de 150 ml

Preparar un membrillo
Raspar la pelusa de la cáscara del membrillo y después mondarlo, a ser posible con un pelador. Finalmente, con el fruto en vertical, cortar un lado muy cerca del corazón. Apoyar después el membrillo sobre la superficie cortada y separar la carne de la derecha y de la izquierda, de nuevo muy cerca del corazón. Volver a girar el fruto y cortar el trozo que falta.

1. En primer lugar, preparar los membrillos. Pelar los frutos, partirlos en cuartos y retirarles el corazón. Cortar la fruta transversalmente en trozos pequeños, ponerlos en un puchero con 3 cs de agua. Llevar a ebullición, tapar y dejar cocer unos 30 minutos hasta que la fruta esté muy blanda. Controlar la consistencia de los trozos de membrillo hacia el final del tiempo de cocción. Éste depende mucho del estado de la fruta.

2. Mientras cuecen los membrillos, para el *parfait* picar en grueso las semillas de calabaza. Derretir 65 g de azúcar glass en una sartén, añadir las semillas y dejar que el azúcar se caramelice. Disolver el caramelo con 65 g de nata y añadir la pulpa de vainilla. Cocerlo todo junto otra vez y luego dejar que se enfríe.

3. Pasar la compota de membrillo (con el líquido) por un colador y mezclar el azúcar glass. Dejar que la *mousse* se enfríe del todo.

4. Para el *parfait*, batir las yemas con el resto del azúcar glass hasta que quede una crema espesa y añadir la masa de caramelo fría y el aceite de semillas de calabaza. Montar el resto de la nata y mezclarla. Distribuir la masa en los moldes y meter en el congelador durante 2 ½ horas.

5. Pasado este tiempo, volcar los *parfait* en platos fríos (para ello puede ser necesario introducir los moldes en agua muy caliente, así se separa mejor el contenido del molde). Verter el champán en la *mousse* de membrillo y batirla con el batidor eléctrico hasta que quede muy espumosa. Aderezar enseguida el *parfait* con la espuma de membrillo y champán y servir el postre inmediatamente.

Yema fresca

En muchos postres, los helados entre otros, se utilizan huevos crudos o yemas crudas. Si la masa base del helado no se va a cocer luego, deberían utilizarse, por motivos de salud (salmonelas), sólo huevos muy frescos.

Helado de moca con ensalada de cítricos

PARA 6 RACIONES
PREPARACIÓN 1 hora

PARA EL HELADO DE MOCA
- 3 yemas de huevo (tamaño L)
- 75 g de azúcar
- 200 ml de leche
- 125 ml de café expreso, endulzado
- la pulpa de ½ vaina de vainilla
- 100 g de nata
- heladora

PARA LA ENSALADA DE CÍTRICOS
- 2 naranjas
- 8 *kumquats*
- 2 cs de sirope de arce
- 3 cl de licor de naranja

1. En un recipiente al baño María, batir las yemas con el azúcar hasta que quede una crema espesa. Mezclar en otro recipiente la leche, el café y la pulpa de vainilla. Verter esta mezcla poco a poco en la crema de huevo sin dejar de remover y continuar removiendo al baño María hasta que tenga la consistencia ideal (ver página 24). Dejar enfriar la crema.

2. Entretanto, preparar la ensalada de cítricos. Filetear las naranjas. Lavar los *kumquats*, secarlos y cortar los frutos a lo ancho en rodajitas finas. Retirar las semillas que haya. Mezclar los filetes de naranja y las rodajas de *kumquats* y marinarlas con el sirope de arce y el licor de naranja.

3. Montar la nata y mezclarla con la crema fría de moca. Poner la masa en la heladora durante 30 minutos. Disponer la ensalada de naranjas en platos fríos y acompañar con el helado de moca.

Página 31
CURSO DE COCINA Filetear naranjas

Helado de chocolate blanco

1. Poner en un puchero la leche con la nata. Abrir longitudinalmente la vaina de vainilla, rascar la pulpa y añadirla a la leche.

2. Llevar la mezcla a ebullición y luego dejar que se enfríe. Entretanto, derretir la cobertura de chocolate blanco al baño María.

3. En un recipiente al baño María, batir las yemas con el azúcar glass, verter despacio la leche con la nata sin dejar de remover y llevar la crema a su punto ideal de consistencia (ver página 24).

4. Pasar la masa por el chino y, finalmente, agregar con cuidado la cobertura derretida.

5. Dejar enfriar la masa o ponerla en un baño María helado y remover hasta que se enfríe (ver truco en página 151); después, meterla en la heladora durante unos 30 minutos.

6. Poner en cada plato de postre una base de *coulis* de frutas y servir encima porciones del helado de chocolate. Adornarlo con frutas del bosque y virutas de chocolate.

Variante de helado de amapola

Hervir la leche con la nata. Esparcir en la mezcla 50 g de semillas de amapola molidas y dejar reposar 30 minutos. Finalmente añadir 2 cl de ron. Batir al baño María, hasta que queden bien cremosas, las yemas de huevo con 100 g de azúcar glass. Llevar otra vez a ebullición la nata con la amapola y verterla despacio, removiendo, en la crema de yemas de huevo. Poner el recipiente al baño María y dar a la crema el punto adecuado (ver página 24). Antes de ponerla a congelar, dejar que se enfríe bien.

DE 6 A 8 RACIONES
PREPARACIÓN 30 min.
+ FRÍO 30 min.

INGREDIENTES
· 250 ml de leche, 250 g de nata
· 1 vaina de vainilla
· 100 g de cobertura de chocolate blanco
· 5 yemas
· 50 g de azúcar glass

ADEMÁS
· heladora
· frutos del bosque y *coulis* de frutas (ver página 34) así como virutas de chocolate blanco para decorar

Página 24
CURSO DE COCINA Cremas heladas

◆

Página 136
PRODUCTOS Chocolate

Chocolate

El cuidadoso tratamiento de los granos de cacao es el secreto del buen chocolate, además del constante remover de la masa y el porcentaje de cacao.

EXQUISITO DULCE PARA SIBARITAS El buen chocolate tiene su precio. No es de extrañar, ya que el árbol del cacao que proporciona la materia prima para el chocolate crece exclusivamente en las lejanas regiones tropicales. Resulta además costoso conseguir el cacao de los frutos del árbol: primero se extraen las semillas que contienen las vainas, los granos de cacao o nueces de cacao y se ponen a fermentar durante días sin que estén en contacto con el aire. Así se origina el típico aroma del cacao. Después, las semillas se secan al sol. Éste, denominado, cacao crudo, según su origen y el tipo de manipulación que haya sufrido, puede presentar grandes diferencias en lo que a calidad y sabor se refiere. Por ello, los productores de chocolate seleccionan cuidadosamente el producto bruto y, dado el caso, mezclan diferentes clases de cacao.

Es ahora cuando comienza el verdadero proceso de elaboración del chocolate. Las semillas del cacao se tuestan, se descascaran y se muelen minuciosamente. Al hacerlo se derrite la grasa, la manteca de cacao, que contiene el germen de la semilla. Surge así la pasta de cacao, que también se llama licor de cacao, líquida y de color marrón oscuro, realmente el punto de partida de la elaboración del chocolate. Esta pasta, después de añadirle azúcar, y en ocasiones también otros ingredientes, debe ser cuidadosamente mezclada, pasada por rodillos, removida y atemperada, para elaborar con ella suave y delicioso chocolate.

A modo ilustrativo: 10 vainas de cacao contienen aproximadamente 1 kg de semillas de cacao frescas. Una vez secas, éstas pesan unos 400 g. De ellas se obtienen aproximadamente unos 330 g de pasta de cacao, la materia prima para, más o menos, 450 g de chocolate de cobertura amargo.

COBERTURA – EL CHOCOLATE MÁS VALIOSO

Como su propio nombre indica, el chocolate de cobertura sirve para cubrir. Estos chocolates se tienen que ajustar a exigencias muy estrictas: sobre todo tienen que ser capaces de crear superficies finas, firmes y brillantes. Esto se consigue por medio de un alto porcentaje de manteca de cacao.

Los chocolates aromáticos y refinados deberían probarse puros; en repostería, la cobertura se utiliza como aplicación externa, las especias y los aromas se añaden por separado.

TIPOS DE CHOCOLATE

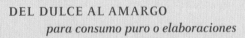

DEL DULCE AL AMARGO
para consumo puro o elaboraciones

(1) **Refinado con frutos secos** y especias y extraído de las mejores semillas de cacao: chocolate para sibaritas.

(2) **Chocolate decorativo para pastelería y postres** (izquierda) y chocolate de alta calidad para consumo puro (derecha).

(3) **Coberturas blancas y oscuras,** tal como se utilizan en repostería: preparadas para adornar, elaborar o templar.

(4) **Las coberturas de chocolate amargo o con leche** se diferencian por su contenido en pasta de cacao seca (llamada también "masa de cacao" o "cacao"). La cobertura amarga contiene por término medio un 60%; la cobertura de chocolate con leche, una media del 36%. Esta última se elabora además con adición de leche en polvo, lo que le da un sabor más suave.

(5) **A la cobertura de chocolate blanco** le falta el típico aroma de cacao. En este caso, de la materia prima de las semillas de cacao sólo se utiliza la manteca, que es incolora. De ella tiene un 30%. Otros componentes son el azúcar y la leche en polvo.

Tortitas heladas de espuma de nieve en salsa de mango y jengibre

PARA 4 RACIONES
PREPARACIÓN 1 hora
+ FRÍO DE 4 a 6 horas
+ SECADO DEL MERENGUE
12 horas

PARA EL HELADO
· 1 yema de huevo (huevo tamaño L)
· 25 g de azúcar
· una pizca de sal
· la pulpa de ¼ de vaina de vainilla
· 25 g de almendras
· 20–30 g de chocolate
　con aroma de naranja
· 200 g de nata
· 1 cs de licor de almendras

PARA EL MERENGUE
· 2 claras de huevo (huevos tamaño L)
· 50 g de azúcar
· 5 g de fécula de trigo
· 4 moldes de aro de 8 cm
　de diámetro y 5 cm de alto

PARA LA SALSA DE MANGO
· 1 mango pequeño (250-300 g)
· 50 g de almíbar 1:1 (ver recuadro)
· 1 cs de azúcar glass (15 g)
· ½–1 ct de jengibre fresco picado

Dulce en la despensa

Almíbar 1:1 *Poner 100 ml de agua con 100 g de azúcar en un puchero y llevarlo a ebullición una vez.*

Almíbar 2:1 *Llevar a ebullición 500 ml de agua y 250 g de azúcar y cocer durante 5 minutos. Proceder del mismo modo para preparar grandes cantidades. En un recipiente hermético se conservará bastante tiempo en el frigorífico.*

1. Primero cubrir la rejilla del horno con papel de hornear, engrasar los aros y colocarlos sobre el papel de hornear. Después, para hacer el merengue, montar a punto de nieve las claras, mientras se añade el azúcar poco a poco. Al final, mezclar la fécula. Echar la masa en una manga pastelera con boquilla mediana y llenar los aros vertiendo la masa en forma de espiral. Meter el merengue en el horno durante unas 12 horas a 80 °C hasta que sequen (cuando se desprendan del papel). Sacar la rejilla del horno y dejar enfriar los merengues (no extraerles de los aros).

2. Para hacer la masa de helado, mezclar en un recipiente la yema, el azúcar, la sal y la pulpa de vainilla. Poner el recipiente al baño María caliente y remover hasta obtener una mezcla muy cremosa. Retirar el recipiente del baño María y dejar que la masa se enfríe un poco. Entretanto, picar las almendras y tostarlas salteándolas en una sartén sin grasa hasta que exhalen su aroma. Entonces, sacarlas de la sartén. Derretir el chocolate al baño María.

3. Para la salsa de mango, pelar el mango, retirar la carne del hueso, cortarla en trozos pequeños y triturarla con el almíbar. Retirar 50 g de puré de fruta y mezclarlo con azúcar glass. Para el helado, montar la nata e incorporarla a la mezcla de yema junto con las almendras y el licor de almendras.

4. Untar las 4 bases de merengue, ya secas y dentro de los aros, con el chocolate derretido y repartir dentro la mitad del helado. Poner por encima la salsa de mango con azúcar glass que tenemos preparada. Llenar los moldes con el resto de la masa de helado y poner a helar las tortitas a -18 °C, de 4 a 6 horas. Mezclar el resto de mango con el jengibre picado, tapar el recipiente y ponerlo a enfriar. Para servir, sacar las tortitas heladas de sus aros y rociarlas con salsa de mango.

Conservar salsas de frutas

Las salsas de frutas se conservan durante algunos días en el frigorífico. Para conservarlas, ponerlas en un tarro de vidrio de yogur bien limpio, o para mayores cantidades se puede utilizar una botella de leche de vidrio.

Brazo de gitano de *nougat* helado

PARA 12 ó 16 RACIONES
PREPARACIÓN 40 min. + FRÍO 12 horas

PARA EL BIZCOCHO
· 4 yemas de huevo, 150 g de azúcar
· la pulpa de 1 vaina de vainilla
· la ralladura de 1 limón de cultivo biológico
· 1 punta de cuchillo de canela en polvo
· 4 claras de huevo, una pizca de sal
· 200 g de avellanas molidas

PARA EL *NOUGAT*
· 1 huevo (tamaño XL), 1 yema de huevo (tamaño XL)
· 100 g de azúcar, la pulpa de 1 vaina de vainilla
· 50 g de *nougat*, 200 g de nata

ADEMÁS
· miel para decorar

1. Precalentar el horno a 210 °C. Mezclar la yema de huevo, 100 g de azúcar, la vainilla, la ralladura de limón y la canela hasta conseguir una crema. Batir a punto de nieve la clara con el resto del azúcar y la sal. Incorporar alternativamente las avellanas y la clara batida con la mezcla de yema. Extender la mezcla en una capa fina sobre una bandeja de horno cubierta con papel de hornear y meterla en el horno caliente (en el centro) unos 5 minutos. Retirar la bandeja, formar un brazo de gitano con la masa siguiendo las instrucciones que se dan más abajo (pasos 1 y 2).

2. En un recipiente puesto al baño María batir el huevo y la yema con azúcar y vainilla. Disolver el *nougat* en esta mezcla. Poner el recipiente en un baño María helado (ver truco página 151) y batir la mezcla hasta que se enfríe. Montar la nata e incorporarla. Poner la masa en el bizcocho frío desenrollado (paso 3) y volver a enrollarlo.

3. Introducir el brazo de gitano en un recipiente hermético y meterlo en el frigorífico toda la noche. Servirlo cortado en rodajas y con los platos decorados con miel.

(1)

ENROLLAR UN BRAZO DE GITANO
y rellenarlo

(1) Poner un trapo de cocina sobre la masa y volcar sobre él la masa junto con el papel de hornear. Retirar cuidadosamente el papel. Si es necesario, frotar el papel antes con un trapo húmedo para que se desprenda mejor de la masa.

(2) Con ayuda del trapo, enrollar, sin apretar, la placa de masa. Dejar enfriar.

(3) Desenrollar con cuidado el rollo de bizcocho. Con una espátula, extender sobre él la mezcla de *nougat* dejando un margen de unos dos dedos en los bordes.

(2)

(3)

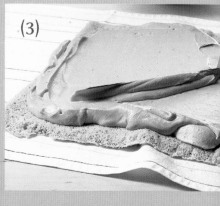

Pudín, suflé y más

Flan de caramelo

PARA 6 RACIONES
PREPARACIÓN 15 min.
+ COCCIÓN 35 min.
+ FRÍO mínimo 3 horas

INGREDIENTES
· 170 g de azúcar
· 350 g de nata, 150 ml de leche
· la pulpa de ½ vaina de vainilla
· 3 huevos (tamaño L)
· 2 yemas de huevo (tamaño L)

ADEMÁS
· 6 moldes pequeños de 8 cm Ø
  (en la base)
· azúcar hilado para adornar al gusto
  (ver página 53)

1. Precalentar el horno a 170 °C. Preparar un baño María en una fuente de gratinado o en una bandeja de horno profunda: verter agua hirviendo en ella, a ⅔ de la altura de los moldes. Meter la fuente o la bandeja en el horno (a media altura).

2. Caramelizar 100 g de azúcar hasta que adquiera un tono dorado y poner en cada molde 1 cs. Mezclar el resto del azúcar y todos los demás ingredientes y verter la mezcla en los moldes, sobre el fondo de caramelo.

3. Poner los moldes en el baño María y mantenerlos en el horno caliente durante 35 minutos. Los flanes estarán listos cuando al pincharlos con un palito, éste salga limpio o cuando la superficie aparezca ligeramente abombada y presente pequeños puntos marrones.

4. Sacar los moldes del horno, dejar enfriar la crema y ponerlos en un lugar fresco durante al menos 3 horas. Para servirlos, volcarlos en platos de postre y decorarlos si se desea con azúcar hilado (ver página 53).

Flamri de sémola con salsa de naranja

1. Ablandar la gelatina en agua fría. Mientras tanto, llevar a ebullición la leche con la mitad de las cortezas de naranja y la pulpa de vainilla, pasarla por un colador y ponerla a cocer a fuego bajo.

2. Añadir a la leche la sémola, 50 g de azúcar y la sal. Continuar cociendo sin dejar de remover hasta que la sémola engorde. Escurrir la gelatina y mezclarla bien. Por último, poner la masa en un baño María helado (ver recuadro en la página 151) y remover hasta que se enfríe.

3. Montar la nata e incorporarla con cuidado. Verter la mezcla en el molde y dejar que cuaje en el frigorífico durante 2 horas.

Flamris *individuales*

Naturalmente, en lugar de distribuirla una vez cuajada, también se puede poner la masa de sémola en moldes pequeños y dejar que cuaje en ellos. Para esto necesitará 6 moldecitos de unos 120 ml. Estos pequeños *flamris* también se desmoldan mejor si antes se sumergen los moldes brevemente en agua muy caliente.

4. Entretanto, para hacer la salsa de naranja, colar el zumo del cítrico por el chino y ponerlo en un puchero. Cocer 3 o 4 minutos con el resto de las cortezas de naranja y el azúcar sobrante. Añadir el licor, mezclar bien y dejar enfriar la salsa.

5. Lavar con agua caliente la naranja de cultivo biológico que se va a utilizar para adornar. Secar la naranja y cortarla a lo ancho en lonchas finísimas.

6. Antes de servir, poner un momento el molde en agua caliente y luego volcar el pudín. Cortar el *flamri* y verter en cada porción un poco de salsa de naranja. Adornar el postre con lonchas de naranja y servir.

PARA 6 RACIONES
PREPARACIÓN   25 min. + FRÍO 2 horas

INGREDIENTES
· 1 ½ hojas de gelatina
· 250 ml de leche
· corteza en tiras de 1 naranja de cultivo biológico
· la pulpa de ½ vaina de vainilla
· 40 g de sémola de trigo
· 140 g de azúcar, una pizca de sal
· 250 g de nata
· 200 ml de zumo de naranja recién exprimido
· 3 cl de licor de naranja

ADEMÁS
· 1 molde para pastel de 1 l
· 1 naranja de cultivo biológico para adornar

CONSEJO DE PRESENTACIÓN el *flamri* también puede combinarse con diversas salsas de frutas, con compota o con ciruelas asadas.

Morenitos en gabardina con frutos rojos al ron

PARA 6 RACIONES
PREPARACIÓN 30 min.
+ HORNO 40 min.

INGREDIENTES

· 100 g de cobertura oscura
· 6 huevos (tamaño L)
· 100 g de mantequilla
· 4 cs de azúcar
· 1 paquetito de *vainillina*
· una pizca de sal
· 100 g de almendras molidas sin pelar
· 200 g de nata
· macedonia de frutas maceradas en ron, para decorar (pueden ser frutas frescas, ver truco de esta página)

ADEMÁS
· moldes pequeños (ver a la derecha)
· mantequilla para engrasar

Para estos pastelillos de chocolate lo ideal son los moldes con forma de artesa, pero también pueden utilizarse moldes para muffins.

1. Engrasar bien los moldes con mantequilla e introducirlos en el frigorífico. Desmigar la cobertura y ponerla a derretir al baño María. Después, enfriar el chocolate, pero sin dejar que se solidifique.

2. Separar las claras de las yemas de los huevos. Batir la mantequilla en una ensaladera hasta que quede cremosa. Añadir 3 cs de azúcar, la *vainillina* y, poco a poco, incorporar las yemas. Continuar batiendo hasta obtener una crema. Agregar la cobertura líquida. Montar las claras de huevo con la sal e incorporarlas con las almendras a la crema.

3. Precalentar el horno a 180 ˚C. Verter la mezcla en los moldes. Llenar una bandeja de horno honda con agua hirviendo de manera que cubra ⅔ de la altura de los moldes. Colocarlos encima y hornearlos durante unos 40 minutos (a media altura).

4. Batir la nata con el resto del azúcar, volcar los moldes, una vez listos los pasteles, en platos de postre. Dejar que se enfríen un poco y ponerles algo de nata por encima. Acompañar el postre con las frutas maceradas en ron. Los morenitos saben mejor tibios.

Macedonia de frutas frescas al ron

Preparar una fuente de postre con frutas frescas picadas, por ejemplo, fresas, melocotón, albaricoques y peras. Mezclar las frutas en una ensaladera con 2 o 3 cs de azúcar moreno y llenar el recipiente de ron. Dejarlas 12 horas en maceración antes de servirlas.

Mousse de almendras en salsa de albaricoques y romero

PARA 4 RACIONES
PREPARACIÓN   30 min.
+ REPOSO Y FRÍO 1 hora

PARA LA *MOUSSE* DE ALMENDRAS
· 2 hoja de gelatina
· 350 g de nata
· 25 g de almendras molidas
· ¼ de vaina de vainilla
· 2 huevos (tamaño L)
· 4 cs de azúcar
· 40 g de masa de mazapán cruda
· 2 ct de licor de almendras

PARA LA SALSA DE ALBARICOQUES Y ROMERO
· 150 g de puré de albaricoques
  (receta base ver indicaciones)
· 40 g de azúcar glass
· el zumo de ½ limón
· 2 cs de aguardiente de albaricoque
· 1 ramita de romero fresco

ADEMÁS
· puntas de romero para adornar

RECETA BASE PARA EL PURÉ DE ALBARICOQUES
Para 150 g de puré se necesitan unos 150 g de albaricoques.

(1) Blanquear los albaricoques y luego asustarlos en agua fría.

(2) Retirar la piel de la fruta con un cuchillo pequeño, después partirlos por la mitad y quitarles el hueso.

(3) Pesar la carne de los albaricoques en un recipiente para triturarlos y añadir ⅓ de ese peso en azúcar. Triturarlo todo.

1. Preparar primero la *mousse* de almendras: ablandar la gelatina en agua fría. Llevar a ebullición 200 g de nata con las almendras molidas y la vaina de vainilla.

2. Separar las claras de las yemas de los huevos. Mezclar bien con el batidor eléctrico las yemas, 2 cs de azúcar y la masa de mazapán desmenuzada.

3. Verter la mezcla de nata hirviendo sobre este puré y triturarlo todo de nuevo con el batidor eléctrico. Por último, añadir la gelatina bien escurrida y enfriar la *mousse* de almendras en un baño María frío (ver truco en página 151).

4. Mientras tanto, batir a punto de nieve la clara de huevo con el resto del azúcar. Montar asimismo el resto de la nata. Incorporar ambas con el licor de almendras a la *mousse* de almendras (aún no cuajada). Por último, repartir la masa inmediatamente en 4 cuencos de postre y ponerlos en frío.

5. Para la salsa de albaricoques y romero, mezclar el puré de albaricoques con el azúcar glass, el zumo de limón y el aguardiente de albaricoque.

6. Añadir la rama de romero, tapar el recipiente y dejarlo reposar durante 1 hora.

7. Verter la salsa de albaricoque y romero sobre la *mousse* de almendras, si se desea, formando una rejilla (ver fotografía) o con otro motivo ornamental. Decorar con tallitos de romero.

Albaricoques en lata

No siempre es temporada de albaricoques, pero en el mercado se pueden encontrar frutas en conserva. La preparación es incluso más rápida porque no hay que pelar la fruta.

Jalea de *Prosecco* con salsa de azafrán

PARA 4 PERSONAS
PREPARACIÓN 30 min.

INGREDIENTES
· 2 hojas de gelatina
· 4 begonias comestibles
  o cualquier otra flor
  comestible, por ejemplo,
  pensamientos (de vivero
  biológico)
· azúcar glass para espolvorear
· 35 ml de agua mineral
  con gas

· 40 g de azúcar glass
· 125 ml de *Prosecco*
· 4 copas de *Prosecco*
  o timbales de 125 ml

PARA LA SALSA DE AZAFRÁN
· 1 yema de huevo
· 2 cs apenas colmadas
  de azúcar
· 150 g de nata
· unas pocas hebras de azafrán
· la pulpa de ¼ de vaina
  de vainilla

Al hacer la salsa,
es importante respetar
el orden de las indicaciones.

1. Para la jalea, ablandar la gelatina en agua fría. Lavar las begonias en agua fría, secarlas con cuidado y espolvorearlas con azúcar glass. Poner las flores con la parte abierta hacia abajo en las copas o en los timbales.

2. Llevar a ebullición el agua mineral y el azúcar glass, retirar el puchero del fuego, añadir la gelatina bien escurrida y remover. Verter cuidadosamente el *Prosecco* y remover delicadamente. Verter tanto líquido en las copas, o en los timbales, como para que las flores queden medio cubiertas. Poner inmediatamente, aunque por poco tiempo, las copas o los timbales en frío y dejar que el líquido cuaje un poco (cuidado: no se debe formar "nata" en la superficie). Echar después el resto del líquido y meter en el frigorífico hasta que cuaje del todo. También ahora hay que introducirlo rápidamente en frío para que las burbujas del *Prosecco* no se deshagan y queden atrapadas en la jalea.

3. Entretanto, para la salsa de azafrán, batir la yema de huevo con el azúcar hasta que quede cremosa. Poner a cocer en un puchero la nata con el azafrán y la vainilla. Sin dejar de remover, verter la nata sobre la espuma de yema. Volver a echar la mezcla en el puchero y ponerlo de nuevo a calentar (en ningún caso debe cocer más). Finalmente, poner la masa en un baño María helado y remover hasta que se enfríe (ver truco de esta página).

4. Servir la salsa junto a la jalea de *Prosecco*. Si ha preparado la jalea en timbales, sumergir brevemente los moldes en agua muy caliente y volcar luego con cuidado la jalea en los platos de postre (ver truco en la página 75). Disponer la salsa alrededor de la jalea.

Remover hasta que se enfríe

Un baño María helado significa un cuenco lleno de agua con cubitos de hielo o con elementos congelados. Como "ensaladera" se puede utilizar también el fregadero.

Página 13
CURSO DE COCINA Gelatina
Página 24
CURSO DE COCINA Crema inglesa

Crème brûlée sobre espuma de fresas y *Amaretto*

PARA 4 RACIONES
PREPARACIÓN 30 min.
+ FRÍO 4 horas

PARA LA *CRÈME BRÛLÉE*
· 350 g de nata, 4 huevos
· 80 g de azúcar glass
· la pulpa de 1 vaina de vainilla
· 4 ct de azúcar de caña sin refinar (alternativa: azúcar moreno)
· 4 moldes planos y abiertos

PARA LA ESPUMA
DE FRESAS Y *AMARETTO*
· 400 g de fresas
· 2–3 cs de azúcar
· 1–2 cs de *Amaretto*
· 1 ct de zumo de limón

1. Precalentar el horno a 150 ℃. Para la *crème brûlée* mezclar la nata con 2 huevos. Separar las yemas de los otros 2 huevos y reservar las claras para otro postre. Añadir a la nata las yemas, el azúcar glass y la pulpa de vainilla y mezclarlo bien todo.

2. Repartir la mezcla de nata y huevo en 4 recipientes planos y abiertos y meterlos en un baño María de 80 ℃ (una fuente plana llena de agua o una bandeja de horno profunda). Dejar que la masa cuaje en el horno (a media altura) de 35 a 40 minutos, hasta que se pueda pinchar. Sacar entonces los recipientes del horno, dejar que la crema se enfríe durante 30 minutos y, finalmente, ponerla en el frigorífico durante unas 3 ½ horas.

3. Antes de servir el postre, lavar las fresas, limpiarlas y cortarlas en trozos pequeños. Poner las fresas con el azúcar, el *Amaretto* y el zumo de limón en un recipiente. Después triturarlo todo con el batidor eléctrico.

4. Espolvorear la crema en los moldes con 1 ct de azúcar de caña y caramelizarla con el soplete de repostería (ver recuadro). Servir la crema con la espuma de fresas y *Amaretto*.

Si se quiere caramelizar la crema en el gratinador del horno, ponerla en el grado más alto y muy poco tiempo, porque, si no, se licuará.

Suflé de fresas y queso fresco

PARA 8 RACIONES
PREPARACIÓN 20 min.
+ HORNO 30 min.

INGREDIENTES
· 4 huevos (tamaño XL)
· 75 g de queso fresco
· 50 g de nata cruda
· 25 g de *vainillina*, 75 g de azúcar
· 35 g de espesante
· 180 g de fresas
· azúcar glass para espolvorear

ADEMÁS
· 8 moldes individuales para suflé
· mantequilla y azúcar para los moldes

1. Precalentar el horno a 200 ℃. Mientras tanto, separar los huevos y mezclar bien las yemas con el queso fresco y la nata cruda.

2. Montar a punto de nieve fuerte las claras de huevo con la *vainillina* y el azúcar. Después, incorporar paulatinamente y en pequeñas cantidades la masa de queso fresco y el espesante a las claras montadas.

3. Engrasar los moldes con la mantequilla y espolvorearlos con el azúcar. Llenarlos hasta los ⅔ de su capacidad con la masa del gratinado. Meter los moldes en el horno caliente (a media altura) de 25 a 30 minutos hasta que se doren. A ser posible, no abrir el horno durante la cocción, ya que la masa se hundiría con la entrada de aire frío.

4. Limpiar las fresas, partirlas por la mitad o en cuartos y reservarlas. Espolvorear los suflés horneados con azúcar glass (si lo desea puede sacarlos antes de los moldes) y servirlos con las fresas.

Suflé de avellana

1. En primer lugar, engrasar los moldes con mantequilla. Después, poner la leche a cocer con la pulpa de vainilla y la canela. Hacer una masa con la mantequilla y la harina y echarla, poco a poco, a cucharadas en la leche hirviendo. Agregar la clara sin dejar de remover.

2. Verter la masa de suflé en una fuente de acero inoxidable y dejar que se enfríe un poco, hasta que esté tibia. Entretanto, precalentar el horno a 200 °C. Separar las claras de los huevos e incorporar las yemas de una en una a la mezcla. Añadir las avellanas molidas y continuar removiendo hasta obtener una masa homogénea.

Suflés perfectos

Utilizar una vez más esta recomendación para conseguir un suflé bonito: antes de hornearlo, colocarlo durante 2 minutos bajo el gratinador. La superficie adquirirá rápidamente algo más de firmeza y el interior del suflé subirá en el horno de manera uniforme.

3. Montar a punto de nieve las claras con el azúcar e incorporarlas poco a poco y con cuidado a la masa de suflé. Verter agua en una bandeja de horno de manera que cubra la base.

4. Repartir la masa de suflé en los moldes. No llenarlos por encima de los ⅔ de su capacidad, ya que la masa sube en el horno. Colocar los pequeños moldes en la bandeja de horno y meterlos en el horno caliente (a media altura) de 20 a 25 minutos.

5. Para servirlos, sacar los suflés de sus moldes, si se desea y, y espolvorearlos con azúcar glass.

Página 51
CURSO DE COCINA Suflé

PARA 8 RACIONES
PREPARACIÓN 25 min. + HORNEADO 25 min.

INGREDIENTES
· 250 ml de leche
· la pulpa de ¼ de vaina de vainilla
· 1 punta de cuchillo de canela en polvo
· 50 g de mantequilla
· 50 g de harina
· 1 clara y 4 huevos (todos del tamaño L)
· 80 g de avellanas molidas
· 70 g de azúcar

ADEMÁS
· 8 moldes individuales para suflé
· mantequilla para engrasar
· azúcar glass para espolvorear

SUGERENCIA DE PRESENTACIÓN: a este postre le va bien una compota de granada y gajos de melocotón blanqueados. Éstos se cuecen durante 5 minutos en zumo de lima azucarado, con un poco de agua y licor de melocotón. Adornarlo con crema batida.

Nockerln de Salzburgo con *coulis* de frambuesa

PARA 4 RACIONES
PREPARACIÓN 50 min.

PARA LOS *NOCKERLN* (MERENGUES)
· 50 g de mantequilla, 100 g de nata
· 55 g de azúcar
· 3 huevos (tamaño L)
· 25 g de harina
· 3 claras, un poco de azúcar glass

PARA EL *COULIS* DE FRAMBUESA
· 250 g de frambuesas
· 1 naranja
· 50 g de azúcar glass
· un chorrito de zumo de limón
· 2 cl de licor de naranja

Confitura de peras

TAMBIÉN ES ADECUADA para los *nockerln*. Tostar en una sartén sin grasa 20 g de piñones, pelar 2 peras, sacarles el corazón y cortarlas en cuadraditos. Cocer los dados de pera con 200 ml de vino blanco, 60 g de azúcar, el zumo de 1 limón, $\frac{1}{2}$ palo de canela y $\frac{1}{2}$ vaina de vainilla. Dejar cocer durante 15 minutos. Las peras tienen que quedar blandas. Retirar la canela y la vainilla, añadir 1 cl de aguardiente de pera y triturarlo todo. Espolvorear la confitura con los piñones.

1. Calentar en un puchero la mantequilla, la nata y 10 g de azúcar y llevarlo a ebullición sin dejar de remover. Distribuir la mezcla en las 4 bandejas o fuentes individuales. Precalentar el horno a 160 ℃.

2. Para la masa de los *nockerln,* separar las yemas de las claras de los huevos. Mezclar las yemas con la harina y batirlo todo, añadiendo 2 cs de agua caliente, hasta obtener una masa cremosa y que la harina se haya "fundido" con la masa; al batir ya no se debe sentir apenas resistencia.

3. Batir a punto de nieve flojo las 6 claras con el resto del azúcar. Incorporarlas a la masa de yemas muy cuidadosamente para que ésta no experimente ninguna pérdida de volumen. Poner en cada una de las bandejitas individuales $\frac{1}{4}$ de la masa, en un montoncito suelto, sin aplastarlo, y espolvorearlos con azúcar glass. Meter las bandejitas en el horno caliente (a media altura) y hornear durante 15 minutos.

4. Mientras tanto, preparar el *coulis* de frambuesas. Seleccionar, aclarar en un colador con agua fría y escurrir bien las frambuesas. Exprimir la naranja. Poner las frambuesas, el zumo de naranja y el azúcar glass en un vaso alto de batidora y triturarlo todo. Pasar después la mezcla por el chino. Añadir el zumo de limón y el licor de naranja.

5. Los *nockerln* están listos cuando la superficie se ha tostado ligeramente y el interior aún está cremoso (prueba de presión). Sacar entonces los *nockerln* del horno, espolvorearlos con un poco de azúcar glass y servir con el *coulis* de frambuesas.

Acompañamiento de frutas

Como alternativa al *coulis* de frambuesa se puede preparar también una confitura de peras (ver la receta en el recuadro de arriba) o un helado de frutas.

Página 12
CURSO DE COCINA Batir claras a punto de nieve

Savarín de especias con compota de membrillo

PARA 4 RACIONES
PREPARACIÓN 50 min.

PARA LA COMPOTA DE MEMBRILLO
· 2 membrillos
· 250 ml de zumo de manzana sin endulzar
· 100 g de azúcar
· el zumo de ½ limón

PARA EL *SAVARÍN* DE ESPECIAS
· 30 g de cobertura amarga
· 50 g de azúcar glass
· 3 huevos
· 50 g de mantequilla líquida
· 75 g de almendras ralladas
· 120 g de harina
· 1 punta de cuchillo de: anís en polvo,
  cardamomo y canela en polvo
· una pizca de sal
· 4 moldes de *savarín* (aprox. 15 cm Ø)
· mantequilla para engrasar

Receta base del *savarín*: *hacer un hueco en el centro de 350 g de harina tamizada, desmenuzar dentro del hueco 15 g de levadura prensada y desleírla con un poco de leche templada. Cubrir el conjunto y ponerlo a reposar en un sitio caliente durante 15 minutos. Derretir 150 g de mantequilla, mezclar 40 g de azúcar, una pizca de sal, ½ ct de ralladura de limón y 4 huevos. Verterlo todo sobre la levadura y la harina. Amasar hasta conseguir una pasta homogénea y lisa y dejarla reposar un poco. Engrasar los moldes con mantequilla y llenarlos con la masa. De nuevo, dejarla reposar un poco. Según el tamaño de los moldes, hornear de 15 a 25 minutos a 210 °C, hasta que se doren. Emborrachar con sirope de azúcar.*

1. Preparar primero la compota: pelar los membrillos, retirarles la carcasa y cortar la carne en dados. Llevar a ebullición el zumo de manzana con azúcar y zumo de limón. Añadir los dados de membrillo, tapar el puchero y dejar cocer a fuego bajo durante 15 minutos. Precalentar el horno a 180 °C.

2. Mientras cuece la compota, preparar los *savarines*: en primer lugar engrasar los moldes. Rallar la cobertura. Batir el azúcar glass con los huevos, mezclar la mantequilla líquida con la cobertura rallada e incorporarlo rápidamente con la mixtura de huevo. Mezclar las almendras ralladas, la harina, las especias y la pizca de sal. Verter la masa en los moldes y hornearla durante 13 minutos (media altura).

3. Una vez hechos, dejar enfriar los *savarines*, volcarlos con cuidado de los moldes. Acompañar los *savarines* calientes con la compota de membrillo. También se puede añadir una bola de helado de amapola (ver página 135).

Membrillo y chocolate

Si sobra algo de compota, quedará muy bien con los *brownies* de chocolate y café de la página 191.

Página 172
PRODUCTOS Especias y hierbas aromáticas

Savarín de arroz con manzanas y salsa de tomates amarillos y calabaza

PARA 4 RACIONES
PREPARACIÓN 1 hora

PARA EL *SAVARÍN*
· 1 manzana
· 100 ml de zumo de manzana
· 70 g de azúcar
· el zumo de ½ limón
· 1 pellizco de hebras de azafrán
· 1 palo de canela
· 1 hoja de gelatina
· 20 g de arroz de grano largo
· ½ vaina de vainilla

· 130 ml de leche
· 40 g de clara de huevo
· 1 cs rasa de azúcar
· 60 g de nata montada
· 4 moldes individuales para *savarín*

PARA LA SALSA
· 2 tomates amarillos (aproximadamente 150 g)
· 50 g de puré de calabaza no demasiado espeso (calabaza al vapor hecha puré)

· 30 g de almíbar 1:1 (ver recuadro en la página 139)
· aproximadamente 1 cs de azúcar de caña sin refinar
· una punta de cuchillo de cilantro molido
· 1 clavo de olor
· un chorrito de zumo limón

ADEMÁS
· elementos de chocolate para decorar.

1. Pelar la manzana, quitarle el corazón y cortar la carne en dados pequeños. Llevar a ebullición el zumo de manzana. Entretanto, caramelizar el azúcar en otro puchero hasta que tenga un color marrón no muy oscuro y diluirlo con el zumo de manzana hirviendo (cuidado, puede salpicar). Añadir a este caldo los trozos de manzana, el zumo de limón, el azafrán y el palo de canela. Tapar el puchero y dejar que las manzanas se hagan durante 5 minutos hasta que estén blandas. Introducirlo en el frigorífico para que se enfríe.

2. Entretanto, ablandar la gelatina en agua fría. Lavar el arroz en un colador con agua caliente hasta que ésta salga clara. Abrir a lo largo la vaina de vainilla y ponerla en un puchero a cocer con la leche y el arroz. Cocer durante unos 10 minutos, sin dejar de remover, hasta que se haya absorbido casi toda la leche. Retirar el puchero del fuego y dejar que repose un poco. El arroz tiene que estar hecho pero entero y con el grano firme. Sacar la vainilla. Añadir la gelatina reblandecida y mezclar bien. Extraer con una espumadera los trozos de manzana del caldo y añadirlos al arroz con leche. Dejar enfriar el arroz a temperatura ambiente, pero que no enfríe demasiado tiempo, ya que no debe ligar.

Dulce fusión

El fondo que queda de pochar las manzanas va muy bien con los *savarines*. Puede reemplazar a la salsa de tomate y calabaza.

3. Montar a punto de nieve la clara y el azúcar e incorporarla junto con la nata montada al arroz con leche. Repartir ahora la masa en los moldes de *savarín* y ponerlos a enfriar hasta que la salsa esté preparada.

4. Para la salsa, pelar en primer lugar los tomates: escaldarlos en agua hirviendo, asustarlos con agua fría y quitarles la piel. Partir los tomates en cuartos, retirar las semillas junto con la gelatina que las rodea y pasarlos por el chino dejando que caigan en el puré de calabaza. Triturar la carne de los tomates e, igualmente, agregarla al puré. Llevar todo a ebullición junto con el almíbar, el azúcar de caña, el cilantro molido y el clavo. Dejar cocer durante 5 minutos añadiendo un poco de agua si fuera necesario. Enfriar la salsa removiéndola en un baño María helado (ver truco en página 151), sazonar con zumo de limón y pasarlo por un colador.

5. Para servirlos, volcar los *savarines* en platos de postre y regarlos con la salsa.

Risotto a la vainilla
y el romero con membrillo

PARA 4 RACIONES
PREPARACIÓN 40 min. + FRÍO 1 hora

INGREDIENTES
· 1 membrillo
· 150 g de arroz
· 25 g de mantequilla
· 50 ml de vino de Oporto blanco
· 200 ml de leche
· 200 g de nata
· 100 g de azúcar
· la pulpa de 1 vaina de vainilla
· 1 rama de romero (de 5 a 6 cm)

1. Preparar el membrillo como se muestra abajo y cortar la carne en pequeños dados. En un puchero, rehogar el arroz en la mantequilla hasta que quede como transparente y añadir entonces los dados de membrillo.

2. Regar el arroz con el Oporto. Remover y dejar cocer hasta que casi haya desaparecido el líquido. Seguir removiendo y añadir poco a poco la leche y 150 g de nata, esperando siempre a que el líquido se haya absorbido casi por completo.

3. Remover hasta que el *risotto* esté cremoso y hecho. Agregar el azúcar, la pulpa de vainilla y la rama de romero y remover una vez. Dejar enfriar el *risotto* a temperatura ambiente (tarda aproximadamente 1 hora).

4. Antes de servir, montar el resto de la nata e incorporarla al arroz.

PREPARAR MEMBRILLOS
Trabaje con un cuchillo muy afilado

(1) Lavar el membrillo, eliminar la pelusa de la piel con un trapo y pelar la fruta.

(2) Poner el membrillo sobre la superficie de trabajo con la parte opuesta al tallo hacia abajo, sujetarlo bien y, utilizando un cuchillo bien afilado, cortar la carne de un lado en vertical, muy cerca del hueso.

(3) Colocar la fruta apoyada sobre la superficie seccionada y cortar de nuevo a ambos lados, a lo largo del hueso. Poner el membrillo sobre la tabla de trabajo y cortar el último lado de carne.

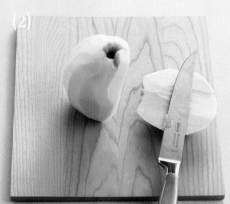

Gofres, creps y más

Gofres de café y canela

PARA 10 GOFRES
PREPARACIÓN 45 min.
(sin enfriar)

PARA EL EXTRACTO DE CAFÉ
· 300 ml de café recién hecho
· 1 hoja de laurel
· 1 palo de canela
· la pulpa de 1 vaina de vainilla
· las ralladuras de las cáscaras
  de ½ naranja y de ½ limón,
  ambos de cultivo biológico

PARA LA MASA
· 200 g de mantequilla
· 180 g de azúcar
· 4 huevos
· 350 g de harina

1. Para el extracto de café, poner a cocer en un puchero el café con las especias, así como con las ralladuras de naranja y de limón. Reducir el líquido a la mitad y pasarlo por el chino.

2. Dejar enfriar el extracto de café y luego amasarlo junto con el resto de los ingredientes hasta obtener una masa lisa.

3. Utilizar la plancha para gofres y sacarlos cuando estén bien dorados. Mantenerlos calientes hasta el momento de servir.

SUGERENCIA DE PRESENTACIÓN: servir nata con aroma de vainilla con los barquillos y decorarlos con delicadas hebras de vaina de vainilla.

Variantes de gofres

De entre los dulces, los gofres son un clásico. De sabor exquisito, permiten la aportación espontánea de elementos de la despensa para su preparación. Servir los gofres calientes con azúcar glass o nata batida.

GOFRES DE NATA La nata se incorpora ya en la masa. Batir 125 g de mantequilla hasta que quede cremosa. Agregar 100 g de azúcar, 3 ct de *vainillina* y la ralladura de 1 limón de cultivo biológico. Separar 4 huevos y añadir las yemas a la masa. Incorporar 250 g de harina con 375 g de nata. Montar las 4 claras de huevo con la pizca de sal a punto de nieve fuerte y mezclarlas. Hacer los gofres en la plancha para gofres. Se puede sustituir la mitad de la harina por avellanas o almendras molidas.

GOFRES RELLENOS Mezclar 175 g de mantequilla, 175 g de azúcar, la pulpa de ½ vaina de vainilla y una pizca de sal hasta conseguir una mezcla cremosa. Incorporar uno a uno 4 huevos y 1 cs de ron. Mezclar 200 g de harina con ½ ct de levadura en polvo y tamizarlo sobre la masa. Mezclarlo todo bien y hacer los gofres en la plancha para gofres. Montar 500 g de nata vertiendo poco a poco 30 g de azúcar glass. Poner la masa en una manga de pastelería y cubrir de masa un gofre. Colocar encima otro gofre. Espolvorear con azúcar glass antes de servir.

GOFRES DE CHOCOLATE Tamizar en un recipiente 100 g de harina con 10 g de cacao en polvo. Añadir 100 g de nata, 2 yemas de huevo, la pulpa de ½ vaina de vainilla, la ralladura de la cáscara de un limón de cultivo biológico, una pizca de clavo, de anís y de canela molidos, y 30 g de mantequilla derretida. Trabajarlo todo hasta conseguir una masa lisa. Montar a punto de nieve 2 claras de huevo con una pizca de sal y 50 g de azúcar. Incorporar ⅓ de la clara a la masa utilizando el batidor de varillas y el resto agregarlo con la espátula. Con esta masa hacer los gofres en la plancha para gofres.

LA SALSA DE CHOCOLATE AGRIDULCE Es el complemento perfecto para este menú de gofres. Partir en trozos 150 g de cobertura o de chocolate en tableta y derretir al baño María. Llevar a ebullición 80 g de leche, con 100 g de nata y 30 g de miel. Agregar esta mezcla al chocolate derretido. Utilizar el batidor eléctrico para lograr una salsa homogénea y, finalmente, dejar que se enfríe a temperatura ambiente. Servir con los gofres de chocolate.

Creps austriacas con requesón

PARA 4 RACIONES
PREPARACIÓN 1 hora

PARA LA MASA
· 100 g de harina
· 1 cs de azúcar glass
· 200 ml de leche
· 1 yema de huevo
· la pulpa de ¼ de vaina
  de vainilla
· la ralladura de la cáscara de ½
  limón de cultivo biológico
· una pizca de sal
· mantequilla para hornear

PARA LA MASA DE REQUESÓN
· 1 ct de pasas
· 2 yemas de huevo
· 50 g de azúcar
· 200 g de requesón
  (40% de grasa)
· 1 cs de crema de vainilla
  en polvo ("sin cocción")
· una pizca de sal
· el zumo de ½ limón

ADEMÁS
· molde abierto
· mantequilla derretida
  para engrasar el molde
· azúcar para espolvorear
· 2 cs de almendras laminadas
  para espolvorear

1. Para la masa, mezclar la harina con el resto de los ingredientes y dejar reposar durante 10 minutos. Pasar después la masa por un chino para eliminar todos los grumos. Para la masa de requesón ablandar las pasas en un poco de agua.

2. Poner algo de mantequilla en una sartén antiadherente y esperar a que se funda, para poder elaborar tortitas muy delgadas. Echar aproximadamente ¼ de la masa y extenderla haciendo oscilar la sartén. Dejar que la masa se haga por un lado y dar la vuelta a la crep hasta que se dore también por el otro; entonces sacarla. De esta manera hacer las 4 tortitas.

3. Para la masa de requesón, aclarar en un colador, con agua fría, las pasas reblandecidas. Batir en un recipiente las yemas de huevo con el azúcar, el requesón, la crema de vainilla en polvo, la sal y el zumo de limón. Precalentar el horno a 160 °C.

4. Repartir la masa de requesón en las 4 crep y distribuir las pasas y las almendras por encima. Finalmente, enrollar las tortillas.

5. Engrasar el molde, colocar en él los rollitos, pintarlos con mantequilla derretida, espolvorearlos con algunas láminas de almendra. Hornearlos de 15 a 20 minutos en el horno caliente (colocarlos hacia la mitad). Servir las creps calientes y espolvoreadas con azúcar glass.

Página 22
CURSO DE COCINA Creps

SUGERENCIA DE PRESENTACIÓN: se pueden acompañar las tortitas con helado de vainilla o de frutas realizado en casa o, si no hay tiempo, comprado hecho.

Tortitas de frutos del bosque con espuma de vainilla

PARA 4 RACIONES
PREPARACIÓN 40 min.

PARA LA MASA
· 70 g de harina
· 125 ml de leche
· 2 huevos, 40 g de azúcar
· una pizca de sal
· la pulpa de media vaina
  de vainilla
· 60 g de mantequilla
  derretida para cocinar
  y pintar

· 200 g de frutos del bosque,
  frescos o congelados (por
  ejemplo frambuesas, moras
  y arándanos)
· 30 g de azúcar glass

PARA LA ESPUMA DE VAINILLA
· 200 g de nata
· 2 yemas de huevo
· 30 g de azúcar
· una pizca de sal
· la pulpa de ½ vaina de vainilla

1. Para la masa, mezclar la harina con la leche. Separar la clara de la yema de los huevos y montar a punto de nieve las claras con el azúcar. Añadir a la masa las yemas, la sal y la pulpa de vainilla. Después, incorporar las claras montadas. Precalentar el horno a 160 °C.

2. En una sartén antiadherente, calentar a fuego medio 1 cs de la mantequilla derretida. Verter en ella ¼ de la masa y extenderla por la sartén haciendo oscilar ésta. Dejar que la tortita se haga durante 2 o 3 minutos. Cuando haya tomado color, retirar la sartén del fuego.

3. Poner la tortita con el lado dorado hacia abajo en un plato sopero. Repartir algunos frutos rojos en el centro de la parte no cocinada. Preparar de la misma forma, y de una en una, las 4 tortitas. Pintar los bordes de la masa con un poco de mantequilla derretida. Finalmente meter las tortitas sobre los platos hacia la mitad del horno y dejarlas unos 8 minutos, hasta que los bordes estén dorados.

4. Entretanto, para hacer la espuma de vainilla batir la nata y las yemas con el azúcar, la sal y la pulpa de vainilla, poniendo el recipiente al baño María y removiendo sin cesar (como si fuera un *sabayon*) hasta que esté muy caliente.

5. Sacar las tortitas del horno, espolvorearlas con azúcar glass y poner por encima un poco de la espuma de vainilla.

Página 22
CURSO DE COCINA Creps

Página 43
CURSO DE COCINA *Sabayon*

Tortitas de caramelo

LAS TORTITAS SABEN TAMBIÉN de maravilla si se espolvorean con azúcar glass y se ponen bajo el gratinador durante 4 minutos hasta que el azúcar se caramelice. Después se sirven con la espuma de vainilla. En lugar de las frutas del bosque frescas, se pueden emplear también frutas del bosque descongeladas y escurridas.

Especias y hierbas aromáticas

(1)

(2)

(3)   (4)

ESENCIAS AROMÁTICAS, ESPECIAS Y OTROS INGREDIENTES

(1) Los licores de bayas, el licor de naranja o, sin alcohol, el sirope de flores de saúco dan intensos matices afrutados.

(2) El aroma concentrado a frutos secos lo proporciona el mazapán, el *nougat* y los licores de coco o de almendra.

(3) Las semillas de amapola y el sésamo, además de aportara a masas y pastas una delicada nota de madera, les dan una óptica especial.

(4) Las especias picantes como el chile, el *curry* o la pimienta regalan sorprendentes aromas a la repostería.

(5)

(6)

(7)

(8)

(5) **La vainilla** es una de las principales sustancias aromáticas que se usa en repostería. Sus vainas fermentadas y su pulpa dan a los líquidos y a las masas un delicado aroma de base con el que armonizan infinidad de otros ingredientes: frutas, nueces o hierbas aromáticas.

(6) **Los extractos de raíces y de hierbas aromáticas en forma de aceites y licores,** por ejemplo el aceite de lavanda o el licor de menta, son especialmente adecuados para mejorar masas y cremas delicadas.

(7) **Endulzan y aportan una nota de sabor característica** el sirope de arce y algunas variedades de miel (por ejemplo, la miel de lavanda o la de brezo) y el azúcar de caña sin refinar. Casi podrían sustituir en todos los campos de la repostería al azúcar blanco neutro.

(8) **Las clásicas especias de la cocina** como el cardamomo, el anís estrellado y los clavos de olor no sólo aromatizan pastas y masas, sino también salsas y, especialmente, preparados a base de frutas.

Milhojas de *blinis* y crema de naranja y *mascarpone*

DE 6 A 8 RACIONES
PREPARACIÓN 1 hora
15 min.

PARA LOS *BLINIS*
· 10 g de levadura prensada
  (¼ de cubito)
· 1 cs de azúcar
· 125 g de harina de trigo
· 125 g de harina de alforfón

· 3 huevos
· 250 ml de leche templada
· 250 g de nata
· aceite para la sartén

PARA LA CREMA DE
NARANJA Y *MASCARPONE*
· 2 yemas de huevo
· 65 g de azúcar glass
· 400 g de queso *mascarpone*

· 100 ml de zumo de naranja
· 3 hojas de gelatina
· 2 cl de licor de naranja

ADEMÁS
· arándanos y azúcar glass
  para adornar

1. Para los *blinis*, desmigar la levadura y espolvorearla en un cuenco con el azúcar, mezclar dejando que el azúcar y la levadura se hagan líquidas. Poner en un recipiente la harina de trigo y añadir la mezcla de levadura. Agregar agua templada poco a poco, siempre removiendo, hasta obtener una masa espesa y lisa. Dejar reposar esta masa, tapada, durante 10 minutos.

2. Mezclar entonces la harina de alforfón y un huevo y dejar reposar la masa otros 5 minutos. Removiendo constantemente, verter la leche templada necesaria hasta obtener una masa de la consistencia de la masa de tortitas.

3. Separar los 2 huevos que quedan, montar por separado la nata y las claras y, finalmente, incorporarlas con las yemas a la masa.

4. Para la crema de naranja y *mascarpone* batir hasta que queden muy cremosas las yemas con el azúcar glass y luego añadir, sin cesar de remover, el *mascarpone* y el zumo de naranja. Ablandar la gelatina en un poco de agua fría, escurrirla y mezclarla con el licor de naranja. Agregarla rápidamente a la crema de *mascarpone*. Reservar la masa a temperatura ambiente.

5. Calentar algo de aceite en una sartén antiadherente. Echar un poco de masa con una cuchara, de manera que en la sartén se puedan cocinar a la vez 3 *blinis* de 8 cm de diámetro. Dejar que se doren por cada lado durante algunos minutos; sacarlos y ponerlos sobre papel de cocina. De esta manera hacer de 18 a 24 *blinis*, para 6 u 8 raciones.

6. Antes de que la masa de *mascarpone* comience a cuajar, cubrir 2 *blinis* con crema de naranja y *mascarpone* y ponerlos uno encima del otro. Terminar con otro *blini* sin crema encima. Disponer en cada plato de postre una de estas torrecitas de *blinis* decorada con violetas y espolvoreada con azúcar glass.

Milhojas

Esta palabra es una traducción literal de la francesa *millefeuille* y, como su propio nombre indica, se refiere a un pastel hecho de capas de masa. Hoy en día se utiliza para designar diferentes platos compuestos de varias capas, sobre todo si tienen distinta consistencia.

SUGERENCIA DE PRESENTACIÓN: se puede añadir un poco de macedonia de arándanos al plato (por ejemplo, preparar el doble de la cantidad que en la receta de la página 65).

Crep rellena de higos al Oporto

PARA 8 RACIONES
PREPARACIÓN 50 min.
+ REPOSO 12 horas
+ HORNO 20 min.

PARA LOS HIGOS AL OPORTO
· 125 g de azúcar moreno
· 500 ml de Oporto tinto
· 100 ml de vino tinto
· 100 ml de zumo de cerezas
· 1 palo de canela

· la pulpa de 1 vaina de vainilla
· 8 higos frescos

PARA LA MASA DE LAS CREPS
· 130 g de harina
· 1 huevo
· 2 yemas (huevos tamaño L)
· 150 g de nata
· una pizca de sal, 250 ml de leche
· la pulpa de 1 vaina de vainilla
· mantequilla para la sartén (si se desea)

PARA LA MASA *ROYAL*
· 300 g de nata
· 120 g de azúcar
· 3 yemas de huevo (huevos tamaño L)
· la pulpa de 1 vaina de vainilla
· 150 g de nata cruda

ADEMÁS
· 1 pincho de brocheta

1. Preparar los higos al Oporto la víspera: en un puchero caramelizar ligeramente el azúcar moreno y diluirlo con el vino de Oporto, el vino tinto y el zumo de cerezas. Añadir luego el palo de canela y la pulpa de vainilla y reducirlo a la mitad. Entretanto, pelar los higos (ver página 30) y, con ayuda del pincho para brochetas, hacerles agujeros por todas partes. Colocar los higos unos junto a otros en un cuenco de dimensiones adecuadas, verter el caldo caliente sobre los frutos y dejar reposar toda la noche.

2. Al día siguiente, para hacer las creps, mezclar en un recipiente harina, huevo, las yemas, nata, sal, leche y la pulpa de vainilla, hasta formar una masa homogénea. Con esta masa, hacer, de una en una, en una sartén de 28 cm de diámetro, 8 creps finísimas. Utilizar mantequilla para la sartén, si se desea.

3. Para la masa *Royal* batir bien todos los ingredientes juntos en un vaso de batidora. Precalentar el horno a 170 °C.

4. Poner en cada plato de sopa una crep, en su interior un higo marinado y verter la crema *Royal* por encima. Doblar decorativamente, si se desea, los bordes de la crep.

5. Con el horno a temperatura muy elevada, poner los platos en la zona central con el gratinador durante unos 20 minutos. Al servir, decorar el borde del plato con unas gotas del caldo de los higos.

Página 82
PRODUCTOS Frutas del sur
———◆———
Página 22
CURSO DE COCINA Creps

Rellenar las creps: *verter la crema* Royal *despacio y con cuidado, de manera que no se salga o se desborde.*

Alternativa de presentación: *situar las creps sobre un espejo de salsa (ver página 37). En este caso, hornear las creps con los bordes levantados. Verter en el fondo de un plato llano un poco de la salsa en la que se han marinado los higos y poner las creps con los higos sobre ella.*

Petits fours, *tartas,*
y pasteles

Petits fours Saint Honoré

PARA 40 PIEZAS
PREPARACIÓN 1 hora

PARA LA MASA *CHOUX*
· 100 ml de leche, 50 g de mantequilla
· 50 g de harina tamizada
· 3 huevos (tamaño L)

PARA LA CREMA *SAINT HONORÉ*
· 1 ½ hojas de gelatina
· 2 huevos (tamaño XL)
· 200 g de leche
· 20 g flan de vainilla en polvo
· ½ vaina de vainilla, 30 g de azúcar

ADEMÁS
· 200 g de azúcar glass para caramelizar

1. Para la pasta *choux*, llevar a ebullición en un puchero la leche y la mantequilla y echar de golpe la harina. Trabajar la masa con la cuchara de madera hasta que en el fondo del puchero se forme una película fina y clara. Poner la masa caliente en una ensaladera y dejar que se enfríe un poco.

2. Precalentar el horno a 180 °C con aire caliente. Echar los huevos de uno en uno y mezclar bien en la masa templada. Aunque hay que mezclarlos bien, no hay que permitir que la masa se esponje.

3. Cubrir una bandeja de horno con papel de hornear. Poner la masa *choux* en una manga pastelera con la boquilla estrellada y formar pequeños rosetones sobre el papel (paso 1). Finalmente, humedecer un poco la bandeja.

(1)

FORMAR Y RELLENAR BUÑUELOS DE VIENTO
Dejar suficiente espacio entre los rosetones hechos sobre la placa de horno.

(1) Con la boquilla en forma de estrella, formar sobre la placa de horno rosetones de masa del tamaño de una moneda de 1 euro. Salpicar después la bandeja con un poco de agua, ya que con el vapor que se forma, es como mejor suben los buñuelos.

(2) Introducir la punta de la boquilla pequeña por un lado de los buñuelos aún calientes y rellenarlos con la crema. No cortar los buñuelos para abrirlos ya que después no se sostienen.

(3) Espolvorear los buñuelos con azúcar glass y meterlos finalmente en el horno caliente para caramelizar el azúcar.

(2)

(3)

CURSO DE COCINA   RECETAS
→Petits fours, *tartas*
y pasteles

4. Hornear los rosetones en horno muy caliente (a media altura) durante unos 15 minutos hasta que tengan un bonito color marrón dorado. A los 5 minutos reducir la temperatura a 160 °C. Cuando los buñuelos estén hechos, sacarlos del horno y ponerlos a enfriar.

5. Entretanto, para la crema *Saint Honoré*, ablandar la gelatina en agua fría. Separar las claras de las yemas de los huevos (1 yema no se va a utilizar). Mezclar en la leche el flan de vainilla en polvo y 1 yema, añadir la vaina de vainilla y llevar todo a ebullición sin dejar de remover. Retirar el puchero del fuego y añadir la gelatina escurrida. Montar a punto de nieve las claras con el azúcar e incorporarlas a la crema tibia.

6. Precalentar el grill del horno al máximo. Poner la crema, aún caliente, en una manga pastelera con boquilla pequeña y rellenar los pastelillos (paso 2).

7. Colocar los *petits fours* rellenos en una bandeja de horno cubierta con papel de hornear. Espolvorear con azúcar glass y dejar que se caramelicen un poco bajo el grill (paso 3).

Página 19

CURSO DE COCINA Pasta *choux*

VARIANTE La caramelización de los buñuelos debe hacerse con rapidez ya que, si no, la crema se sale. También puede untar, después de rellenarlos, la parte de arriba de los pastelillos con caramelo líquido. O también puede cortar una tapita de la parte superior de los buñuelos (sin rellenar), verter la crema en la parte inferior y caramelizar en el horno sólo las tapitas.

Petits fours con mazapán

PARA aprox. 30 PIEZAS
PREPARACIÓN 3 horas
+ ENFRIAR 1 hora

PARA LA CREMA
DE CHOCOLATE BLANCO
· 150 g de cobertura
  de chocolate blanco
· 50 de nata
· 1 cs de aceite de coco

PARA EL *BISCUIT*
· 50 g de clara de huevo
· 40 g de azúcar

· una pizca de sal
· 90 g de yema de huevo
· la ralladura de la cáscara
  de ½ limón de cultivo
  biológico
· 25 g de harina

PARA LA MASA DE MAZAPÁN
· 150 g de masa cruda
  de mazapán
· 50 g de *cassis* (crema de
  grosella negra; por ejemplo
  en tiendas de dietética)
· 80 g de azúcar glass

ADEMÁS
· 400 g de cobertura oscura
  o blanca para bañar
· 100 g de cobertura oscura,
  frutos rojos frescos y
  kumquats confitados para
  decorar.

Página 46
CURSO DE COCINA Trabajo con cobertura

1. Para la crema de chocolate blanco, rallar la cobertura y ponerla en una ensaladera. Llevar la nata a ebullición y verterla sobre la cobertura rallada. Mezclar con el aceite de coco y colocar la masa en frío hasta el momento de utilizarla.

2. Precalentar el horno a 180 °C. Para el *biscuit*, montar a punto de nieve la clara con la mitad del azúcar y una pizca de sal. Batir en una mezcla cremosa la yema con el resto del azúcar y la ralladura de limón. Unir cuidadosamente ambas masas e incorporar la harina. Extender la masa en una bandeja de horno cubierta con papel de hornear formando un cuadrado de unos 30 x 30 cm y meterlo en el horno caliente (hacia la mitad) unos 12 minutos hasta que se dore.

3. Entretanto, mezclar, preferiblemente con el batidor eléctrico, 50 g de masa cruda de mazapán con el *cassis*, formando una masa lisa. Mezclar el resto de la masa de mazapán y el azúcar glass hasta obtener una pasta.

4. Una vez hecho el *biscuit*, sacarlo del horno y dejar que se enfríe un poco. Cortarlo en 3 tiras iguales. Con la ayuda de una espátula, untar la primera tira con la mezcla de mazapán y *cassis*. Colocar encima la segunda tira y presionar.

5. Batir con el batidor eléctrico la crema de chocolate hasta que quede homogénea y extender ¾ de la crema sobre la segunda tira de *biscuit*. Después, colocar la tercera tira y presionar un poco. Extender el resto de la crema de chocolate por encima. Extender con el rodillo la pasta de mazapán y azúcar y ponerla entre 2 capas de papel de hornear o entre 2 capas de papel *film* (fotografía arriba a la derecha), hasta que tenga la anchura de las tiras de masa, colocarla sobre la crema de chocolate y presionar bien. Antes de cubrirlos, poner los *petits fours* en el frigorífico durante 1 hora.

Para guardar

Los *petit fours* sin cubrir se pueden conservar muy bien congelados.

6. Transcurrido este tiempo, derretir la cobertura para cubrir los pastelitos al baño María y luego dejar que se enfríe a 25 °C, es decir, hasta que se solidifiquen los bordes. Finalmente, volver a calentarla a 30 °C (termómetro digital). Hay que prestar atención, pues la cobertura se calienta enseguida.

7. Sacar las tiras superpuestas del frigorífico y cortarlas en 30 dados iguales. Para ello, introducir continuamente el cuchillo en agua caliente. Con la ayuda de un tenedor, sumergir después los dados en la cobertura derretida. Colocar los *petits fours* sobre una rejilla para que escurran bien, después ponerlos sobre papel y dejar que el chocolate se solidifique.

8. Templar (derretir) luego la cobertura para adornar y decorar los pastelitos con una manga pastelera de papel. Completar la decoración con bayas y *kumquats* confitados.

SUGERENCIA DE PRESENTACIÓN: dorar con huevo batido el chocolate ya seco.

Torres de chocolate a la pimienta con pesto de piña

DE 4 A 6 RACIONES
PREPARACIÓN 1 hora 15 min.
+ FRÍO 4 horas

PARA EL *BISCUIT*
· 2 huevos (tamaño XL)
· 75 g de azúcar
· 75 g de harina
· 1 punta de cuchillo
  de levadura en polvo

PARA EL RELLENO
DE CHOCOLATE
· 150 g de chocolate amargo
  a la pimienta
· 3 huevos (tamaño XL)
· 60 g de azúcar
· 200 g de nata

PARA EL PESTO DE PIÑA
· 1 piña *baby*
· 50 ml de aceite de cacahuete
  o de sésamo

· 20 g de coco en copos
  (en tiendas de dietética)
· 2 cl de licor de coco
  (se puede sustituir por leche
  de coco o un poco de ron)

ADEMÁS
· 4-6 moldes de aro de 7 cm Ø
  y de unos 7 cm de altura
  (ver consejo).

1. Para el *biscuit,* precalentar el horno a 170 °C. Cubrir una bandeja de horno pequeña (aproximadamente la mitad de una bandeja normal) con papel de hornear. Batir el azúcar con los huevos hasta que quede una mezcla bien espesa (mínimo 5 minutos). Mezclar la harina con la levadura e incorporarla con cuidado a los huevos. Poner la masa de *biscuit* en la bandeja del horno y hornearla durante 15 minutos. Sacar la base de *biscuit* del horno y dejarla enfriar.

2. Para hacer el relleno de chocolate, derretir el chocolate a la pimienta en un baño María muy caliente. Retirar el recipiente. En distinto envase, también apto para el baño María, batir los huevos con el azúcar hasta que la mezcla tenga la consistencia de la masa para la crema inglesa (ver página 24). Verter el chocolate líquido en la masa y dejar enfriar la mezcla durante unos 30 minutos. Después montar la nata e incorporarla.

3. Con los moldes de aro o con un vaso, sacar 12 círculos de la base de *biscuit.* Poner en cada molde de aro uno de los círculos de *biscuit* y encima masa de chocolate a la pimienta. Repetirlo todo 1 o 2 veces dependiendo del número de raciones. Poner los pastelitos a enfriar durante 4 horas.

4. Ahora, para hacer el pesto, pelar la piña y retirarle la parte dura del centro. Cortar la fruta en dados muy pequeños y mezclarlos con el resto de los ingredientes. Dejar reposar la mezcla hasta que se vayan a servir los pastelitos; como mínimo unas 2 horas.

5. Una vez transcurrido el tiempo de frío, poner en cada torre de *biscuit* un poco del pesto de piña y sacar con cuidado las torres de los aros.

Moldes de aro hechos en casa

Si no dispone de moldes de aro, utilizar un vaso de agua de 7 cm de diámetro como plantilla para sacar círculos de la masa. Además, con su ayuda, formar 4 o 6 aros de 7 cm de alto con tiras de papel de aluminio dobladas 3 veces. Unir los extremos presionando el papel.

Página 16
CURSO DE COCINA *Biscuit*

Petits fours de chocolate con sésamo y espuma de chocolate al chile

PARA 8–10 PIEZAS
PREPARACIÓN 1 hora

PARA LA ESPUMA DE CHOCOLATE AL CHILE
· 125 g de cobertura amarga
  y 50 g de cobertura de chocolate
· 200 g de nata, 1 punta de cuchillo de chile
  en polvo, 25 g de azúcar
· 2 yemas de huevo (huevos tamaño XL)
· 100 g de clara (las claras de unos 3 huevos)

PARA EL CHOCOLATE CON SÉSAMO
· 1 cs de semillas de sésamo
· 100 g de cobertura: 50 g amarga y 50 g blanca

PARA ADORNAR
· hilos de chile (de la tienda de especias)

1. Para la espuma de chocolate derretir hasta los 45 °C ambas coberturas al baño María caliente. Montar la nata. Añadirla al chocolate caliente con un poco de chile en polvo y con las yemas. Montar a punto de nieve las claras de huevo y el azúcar e incorporarlas. Poner a enfriar la espuma de chocolate.

2. Para el chocolate con sésamo, tostar en una sartén sin grasa el sésamo, salteándolo hasta que desprenda su aroma. Derretir las coberturas por separado al baño María y luego dejar que se enfríen a 25 °C, es decir, hasta que los bordes se solidifiquen. Finalmente, volver a calentarlo hasta los 30 °C. Atención: la cobertura se calienta enseguida. Continuar trabajando como se indica en el cuadro de color.

3. Poner, uno sobre otro, 3 o 4 cuadrados de chocolate. Terminar con un cuadrado de chocolate sin cubrir. Adornar con hebras de chile.

(1)

ELABORAR GALLETAS DE CHOCOLATE
y rellenarlas de espuma de chocolate

(1) Con una espátula, extender la cobertura formando una capa muy fina sobre papel de hornear. Se necesita una superficie de unos 18 x 22 cm. Inmediatamente espolvorear por encima y uniformemente el sésamo tostado.

(2) Templar un poco el chocolate, después cortarlo en cuadrados de 3,5 cm de lado y dejar que se solidifique del todo.

(3) Echar la espuma de chocolate en una manga pastelera. Poner en 20 cuadrados de chocolate una bolita de espuma de chocolate.

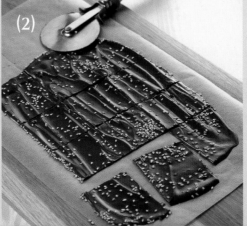

(2)

(3)

Coquitos con mango

PARA UNOS 35 DULCES
PREPARACIÓN 20 min.
+ HORNEADO 40 min.

INGREDIENTES
· 3 claras de huevo, 50 g de azúcar
· 150 g de ralladura de coco
· la pulpa de 1 vaina de vainilla
· 1 cs de pistachos molidos
· 1 cs de miel
· 50 g de mango (sólo fruta)

ADEMÁS
· Harina para la bandeja del horno
· 35 obleas de hornear redondas
  de 4-5 cm Ø

1. Montar las claras con el azúcar. Añadir cuidadosamente la ralladura de coco, la pulpa de vainilla, los pistachos y la miel. Cortar en trozos muy pequeños el mango y mezclarlos también.

2. Enharinar ligeramente una bandeja de horno. Con 2 ct de postre, que se sumergirán en agua fría cada vez, sacar pequeñas porciones de la masa y colocarlas de una en una sobre las obleas. Situar los coquitos en la bandeja del horno un poco separados entre sí.

3. Meter los coquitos en el horno (zona inferior) durante 40 minutos hasta que estén dorados. Los coquitos que sobren se pueden conservar, una vez fríos, en un recipiente metálico.

Página 12
CURSO DE COCINA Montar claras a punto de nieve

Pastitas de almendra rellenas de crema de naranja

1. Para las pastitas de almendra, montar las claras con el azúcar. Mezclar luego las almendras con el azúcar glass e incorporarlas con cuidado a las claras. La mezcla de claras no debe bajar.

2. Precalentar el horno con aire caliente a 130 °C. Cubrir una bandeja de horno con papel de hornear. Con la manga pastelera distribuir por la bandeja, unas junto a otras, bolas de masa del tamaño aproximado de una moneda de 2 euros.

3. Meter las pastitas de almendra en el horno (hacia el centro) durante unos 35 minutos hasta que se puedan desprender fácilmente del papel de hornear. Comprobarlo al final del tiempo de cocción empujando ligeramente una de las pastitas.

El tamaño de las pastitas

ea generoso con la masa que ponga en las obleas, de esta manera los coquitos (ver receta y fotografía a la izquierda) siempre quedarán jugosos. En cambio, cuanta menos masa de pastitas ponga sobre la bandeja de horno, tanto más crujientes serán los dulces. Ideal para rellenarlas con una crema.

4. Entretanto, preparar la crema de naranja. Para ello, separar la clara de la yema del huevo. Mezclar bien la leche, el flan de vainilla en polvo y los zumos de limón y de naranja con la yema, la pulpa de vainilla y la ralladura de limón. Verter la mezcla en un puchero y llevar a ebullición.

5. Montar la clara con el azúcar e incorporarla a la crema caliente. Dejar que la crema de naranja se enfríe un poco.

6. Utilizando la manga pastelera, poner crema de naranja en la parte inferior de cada pastita y disponer otra encima.

PARA UNAS 30 PASTITAS
PREPARACIÓN 1 hora

PARA LA MASA DE LAS PASTITAS
· 2 claras de huevo
· 2 cs de azúcar
· 50 g de almendras peladas molidas
· 50 g de azúcar glass
· manga pastelera

PARA LA CREMA DE NARANJA
· 1 huevo
· 50 ml de leche
· 1 ct de flan de vainilla en polvo
· 1 ct de zumo de limón
· 2 cs de zumo de naranja
· la pulpa de ¼ de vainilla
· la ralladura de la cáscara de ½ limón de cultivo biológico
· 2 cs de azúcar

Brownies de chocolate y café

PARA 8 PIEZAS
PREPARACIÓN 15 min. (sin enfriar)
+ HORNO 40 min.

INGREDIENTES
· 200 g de cobertura amarga
· 60 g de mantequilla
· 40 ml de café
· 3 huevos (tamaño XL)
· 75 g de azúcar
· 75 g de almendras molidas
· 1 cs de cacao
· 30 g de harina

ADEMÁS
· un molde para pastel de
  aproximadamente 10 x 20 cm o un
  molde redondo de unos 20 cm Ø
· mantequilla para engrasar

1. Precalentar el horno a 180 ˚C. En un puchero, derretir a fuego bajo 100 g de cobertura con la mantequilla y el café. Batir los huevos con el azúcar hasta que queden muy cremosos y añadir el chocolate tibio. Mezclar las almendras con el cacao y la harina y añadirlos también.

2. Engrasar el horno y verter la masa. Hornear el pastel a media altura durante unos 40 minutos. Sacarlo y dejarlo enfriar.

3. Derretir el resto de la cobertura al baño María y luego dejar que baje a 25 ˚C, es decir, hasta que comiencen a solidificarse los bordes. Finalmente, volver a calentarlo a 30 ˚C. Debe prestarse atención, pues la cobertura se calienta enseguida.

4. Sacar el pastel cuidadosamente del molde y cortarlo en cuadrados de unos 5 x 5 cm. Cubrir los *brownies* con la cobertura líquida.

Para cubrir los *brownies*, *sumergir uno de los lados de los trozos de pastel en la cobertura derretida y luego esperar a que se solidifique. El chocolate amargo se puede aromatizar al gusto con un poco de canela, con vainilla o también con un algo de ron.*

Los *brownies* de chocolate *van bien con el timbal de arándanos de la página 65; y también saben de maravilla con la compota de membrillo de la página 159, además de darle el contrapunto de color al postre.*

Página 46
CURSO DE COCINA Trabajo con cobertura

Churros de almendra y naranja

PARA 8 RACIONES
PREPARACIÓN 45 min.

PARA LOS CHURROS
· 100 g de mantequilla
· una pizca de sal
· 5 g de cáscara de naranja
  seca y molida
· 50 g de almendra molida
· 50 g de harina
· 3 huevos

· aceite para freír
· azúcar para espolvorear
  los churros
· manga pastelera
  con boquilla grande

PARA LA SALSA DE CHOCOLATE
· 200 g de cobertura amarga
· 150 ml de leche
· 4 cs de nata, 2 cs de azúcar
· 30 g de mantequilla helada

*Elaborar la naranja en polvo
secando tiras de cáscara
de naranja en el horno
de aire caliente a 50 ˚C
y moliéndolas en el mortero.*

1. Para los churros, llevar a ebullición en un puchero la mantequilla con la sal, la cáscara de naranja y 150 ml de agua. Añadir, removiendo enérgicamente, la almendra molida y la harina y continuar batiendo hasta obtener una consistencia lisa. Retirar entonces el puchero del fuego. Batir los huevos hasta que estén cremosos e incorporarlos a la masa.

2. Para la salsa de chocolate, desmenuzar la cobertura, calentarla con la leche, la nata y el azúcar y remover de vez en cuando hasta que la cobertura se haya derretido. Dejar que la salsa dé un hervor y luego retirarla del fuego. Añadir ahora, poco a poco, la mantequilla, batiendo para que la mezcla quede bien ligada. Mantener la salsa caliente.

3. Calentar el aceite para freír los churros en una sartén honda. Poner la masa en una manga pastelera y echar directamente en la sartén, presionando la manga, tiras de masa de unos 10 cm de longitud. Freír los churros durante 4 minutos hasta que estén dorados por todas sus caras. Sacarlos de la sartén con una espumadera y colocarlos en una bandeja de horno cubierta con papel de cocina. Mantener los churros calientes en el horno a 80 ˚C. Cuando todos los churros estén fritos, poner azúcar en un plato llano grande y rebozarlos en él.

4. Verter la salsa de chocolate en varios tazones hondos o en cuencos. Servir los churros en una fuente plana de manera que se puedan untar en la salsa caliente.

Un clásico español

CHURRO: es una pasta *choux* que se fríe en aceite muy caliente, se espolvorea con azúcar y se sirve con chocolate líquido espeso. Naturalmente, los churros se pueden degustar a cualquier hora del día, pero son especialmente apetecibles de madrugada, al volver a casa después de una noche de fiesta.

RECETA BASE PARA LA MASA: poner a cocer en un puchero 500 ml de agua con una pizca de sal. Retirar el puchero del fuego y añadir 300 g de harina. Trabajar la masa con las varillas de la batidora eléctrica hasta que la masa se despegue del fondo del puchero.

PERAS AL VINO COMO ACOMPAÑAMIENTO: cocer 1 l de vino de Rioja con 280 g de azúcar y dejarlo cocer hasta reducirlo a la mitad. Pelar 8 peras, retirarles la base pero no el tallo. Poner las peras en el vino junto con $\frac{1}{2}$ palo de canela, 2 clavos de olor, 2 granos de pimienta, 1 rama de romero y 2 rodajas de limón de cultivo biológico. Llevar a ebullición, bajar el fuego y dejar hervir 15 minutos. Sacar las peras del vino, retirar las especias y dejar que el caldo cueza un poco más. Disponer las peras con el caldo de vino y servir junto con los gofres de chocolate de la página 167.

Pastelillos de manzana y avellanas con salsa caliente de albaricoques

PARA 4 RACIONES
PREPARACIÓN 1 hora 10 min.

PARA LA MASA QUEBRADA CON NUECES
  · 50 g de harina
  · 10 g de avellanas molidas muy finas
  · 40 g de azúcar, una pizca de sal
  · 30 g de mantequilla fría
  · harina para la superficie de trabajo
  · 4 moldes de aro de 8 cm Ø

PARA LA PASTA SABLE
  · 50 g de mantequilla blanda
  · 70 g de avellanas molidas muy finas

  · 60 g de azúcar glass
  · 2 claras (huevos tamaño L)
  · 20 g de azúcar, 20 g de harina
  · mantequilla para los moldes

PARA LAS MANZANAS
  · 2 manzanas medianas (tipo reineta)
  · 2 cs de azúcar moreno sin refinar (20 g)

PARA LA SALSA DE ALBARICOQUE
  · 80 g de puré de albaricoque
   (receta en página 148)
  · 2 yemas de huevo (huevos tamaño L)
  · 30 g de azúcar, el zumo de 1 limón

FORMAR LAS TARTITAS DE MANZANA Y NUEZ
Masa quebrada, pasta sable y fruta

(1) Después de que la masa haya reposado unos 15 minutos, extenderla sobre la superficie ligeramente enharinada y sacar con un molde 4 círculos de masa.

(2) La forma más limpia de rellenar los aros con la masa es utilizando una manga pastelera, pero también se puede hacer con una cuchara.

(3) Colocar las mitades de manzana en los aros, sobre la masa y espolvorearlos con azúcar de caña.

1. Preparar una masa quebrada con la harina, las avellanas, el azúcar, la sal y la mantequilla, como en la receta base de la página 41 (con avellanas pero sin huevo). Poner la masa en frío durante unos 15 minutos.

2. Precalentar el horno a 180 °C. Extender la masa con el rodillo sobre la superficie de trabajo, de manera que puedan sacarse 4 círculos de ella (paso 1). Introducir éstos en el horno caliente (hacia el centro) y dorarlos de 10 a 15 minutos. Extraerlos cuando se doren. Engrasar los moldes de aro y colocarlos. Bajar la temperatura del horno a 160 °C.

3. Para la pasta sable, batir la mantequilla hasta que esté cremosa, añadir las avellanas y el azúcar glass. Montar a punto de nieve las claras con el azúcar y mezclarlas con la harina. Poner la masa en una manga de pastelería con una boquilla ancha y verter aproximadamente ¼ de la cantidad total en cada una de las bases de masa pastelera. No llenar los moldes por encima de ⅓ de su altura (paso 2).

4. Pelar las manzanas, partirlas por la mitad y retirar el rabillo, la base y el corazón. Hacer unos cortes en la parte curva de las frutas y colocarlas dentro de los moldes (paso 3). Espolvorear las manzanas con azúcar y meter los pasteles en el horno (a media altura) de 20 a 30 minutos hasta que estén dorados.

5. En un recipiente al baño María caliente batir el puré de albaricoque, las yemas, el azúcar y el zumo de limón hasta que la salsa quede ligada. Sacar los pasteles de sus moldes y servirlos con la salsa.

Tarta de manzana y nuez

Con estos mismos ingredientes se puede elaborar una tarta de manzana y nuez, utilizando un molde adecuado. Hornear primero la base de la tarta (ver página 41) y calcular un poco más de tiempo de horneado para la pasta sable.

Tartaletas de limón
con láminas de pasta *brick*

DE 4 A 6 PIEZAS
PREPARACIÓN 50 min.

PARA LA MASA QUEBRADA
· 40 g de mantequilla
· 40 g de azúcar
· 120 g de harina
· 1 huevo (tamaño M)
· una pizca de sal
· una pizca de levadura en polvo
· molde redondo para
  tartaletas (15 cm Ø)

· mantequilla para engrasar
· harina para espolvorear
· legumbres para hornear
  la base de pasta quebrada

PARA LA CREMA DE LIMÓN
· 2 hojas de gelatina
· 2 huevos (tamaño M)
· 10 g de flan de vainilla en polvo
· 100 ml de leche
· la pulpa de ¼ de vaina de vainilla
· 60 g de azúcar

· la ralladura de ½ limón
  de cultivo biológico
· un chorrito de zumo de limón
· azúcar glass para espolvorear

ADEMÁS
· 1 lámina de pasta *brick*
  de 30 cm Ø
· unos 20 g de almíbar 1:1
  (ver recuadro en la página 139)
· azúcar glass para espolvorear

1. Precalentar el horno a 180 °C. Con la mantequilla, el azúcar, la harina, el huevo, la sal y la levadura, elaborar una masa quebrada tal como se explica en la página 41. Engrasar el molde con mantequilla y espolvorearlo con harina. Poner el molde sobre una placa de horno cubierta con papel de hornear. Con el rodillo, estirar la masa hasta que tenga un diámetro de unos 17 cm y ponerla en el molde levantando un borde de unos 2 cm de altura. Presionar bien el borde contra el molde. Cubrir la masa con papel de hornear y poner encima unas legumbres secas (para impedir que la masa suba). Introducir en el horno caliente (hacia el centro) de 10 a 15 minutos. Sacarlo y retirar las legumbres y el papel de hornear (dejar el horno encendido).

2. Mientras se hornea la masa, preparar la crema de limón. Ablandar la gelatina en agua fría. Separar las claras de los huevos. Disolver el flan de vainilla en polvo en la leche, añadir la pulpa de vainilla, la yema de huevo, la mitad del azúcar y la ralladura de limón. Llevar todo a ebullición sin dejar de remover y luego retirar la mezcla del fuego.

3. Montar a punto de nieve las claras con el resto del azúcar. Añadir a la crema caliente primero la gelatina escurrida y luego las claras a punto de nieve. Sólo ahora se puede aromatizar la mezcla con un chorrito de zumo de limón (si no, la masa se cortaría). Verter la crema en el molde, sobre la base horneada de pasta quebrada. Espolvorear la crema inmediatamente con azúcar glass.

4. Poco antes de servir, precalentar el horno a 180 °C. Pintar la pasta *brick* por ambos lados con el almíbar, ponerla en una placa cubierta con papel de hornear y hornearla durante 10 minutos a media altura hasta que esté crujiente.

5. Retirar el molde de la tarta y romper las láminas de pasta *brick* en trozos irregulares. Clavar los trozos decorativamente en la tarta, espolvorear con un poco de azúcar glass y servirla inmediatamente para que las láminas de pasta *brick* se mantengan lo más crujiente posible.

El azúcar protege

Espolvorear la crema caliente con azúcar glass, de esta manera se evitará que se forme una película poco decorativa sobre la superficie.

Página 41
CURSO DE COCINA Pasta quebrada

Almohadillas de hojaldre con frambuesas y *mousse* de moca

PARA 8 PIEZAS
PREPARACIÓN 1 hora 45 min.
+ REPOSO 1 hora

PARA LAS ALMOHADILLAS
· 200 g de harina
· una pizca de sal, un chorrito de vinagre
· 200 g de mantequilla fría pero no demasiado dura
· 1 yema, 1 cs de leche, 80 g de azúcar glass

PARA EL RELLENO
· 32 frambuesas
· ½ naranja de cultivo biológico, lavada
· 1 cs de azúcar glass

PARA LA *MOUSSE* DE MOCA
· 1 hoja de gelatina
· 100 g de nata, 2 cs de azúcar
· una pizca de sal
· 15 g de granos de moca, en trozos gruesos

1. Para las almohadillas de hojaldre, hacer una masa con la harina, la sal, el vinagre, la mantequilla y 100 ml de agua y amasarla bien. Taparla y dejarla reposar durante 30 minutos. Después continuar trabajando siguiendo las instrucciones que se indican más abajo. Dejar reposar la masa durante otros 30 minutos. Pasado este tiempo, repetir los procesos indicados en los pasos 2 y 3 y dejar reposar la masa 1 hora.

2. Mientras la masa reposa, lavar las frambuesas bajo el chorro de agua fría y puestas en un cola-

(1)

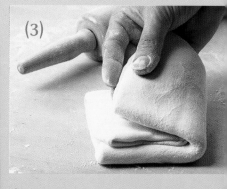

HOJALDRE

Cuanto más veces se doble o, como dicen los profesionales, cuantas más vueltas se le dé, más "hojas" tendrá la masa.

(1) Con el rodillo, hacer un rectángulo de unos 20 x 40 cm, poner la mantequilla en una de las mitades. Doblar sobre ella la otra mitad de la masa y presionar los bordes.

(2) Con una presión suave del rodillo, formar otro rectángulo con la masa. Doblar ⅓ del hojaldre y poner por encima el último tercio. Volver a extender la masa hasta formar un rectángulo.

(3) Doblar hacia el centro de la masa los bordes del lado opuesto. Después, doblar otra vez la masa por la mitad.

dor. Utilizando el pelador de tiras, sacar cintas finas de la cáscara de naranja y blanquearlas en agua hirviendo; escurrirlas. Pasar las frambuesas y las cortezas de naranja a un recipiente y echar el azúcar glass por encima. Dejar reposar las frambuesas durante 1 hora más o menos.

3. Precalentar el horno a 200 °C. Extender el hojaldre en una placa de aproximadamente ½ cm de grosor. Mezclar la yema con la leche y pintar la masa. Con un tenedor, y con mucho cuidado, marcar líneas onduladas sobre la superficie pintada. Cortar la masa en 8 pedazos de unos 6 x 6 cm cada uno.

4. Poner los trozos de hojaldre sobre una placa de horno cubierta con papel de hornear e introducirlos en el horno caliente (media altura) 6 u 8 minutos, hasta que comienzan a dorarse. Después poner el horno a 160 °C y terminar de hornearlos en unos 20 minutos. Dejar enfriar.

5. Entretanto, para la *mousse* de moca, ablandar la gelatina en agua fría. Poner en un cazo la nata, el azúcar, la sal y la moca. Llevar todo a ebullición y dejar que se temple un poco. Pasar luego la mezcla por el chino. Exprimir bien la gelatina y agregarla a la mezcla. Poner a enfriar la masa durante 20 minutos; no tiene que helarse sino sólo enfriar un poco.

6. Cortar las almohadillas de hojaldre horizontalmente en dos. Espolvorear ligeramente la parte superior con azúcar glass y ponerlas bajo el gratinador un momento hasta que se caramelice.

7. Batir la *mousse* con el batidor eléctrico hasta que quede espumosa; rellenar cada parte de debajo de los hojaldres con 4 frambuesas marinadas y 1 cs de *mousse* de moca.

8. Poner las partes de arriba a modo de tapa sobre el relleno. Servir el postre inmediatamente.

Horneado directo

Esto significa no dejar reposar la masa de hojaldre. De esta manera, al hornearla, la masa queda bien alta y ligera.

Crema de queso fresco y miel en masa caramelizada de *strudel*

PARA 4 RACIONES
PREPARACIÓN 40 min.
+ FRÍO mínimo 1 hora

PARA LA MASA
CARAMELIZADA DE *STRUDEL*
· aproximadamente 150 g de
  masa estirada de *Strudel*
  (o masa *filo*)
· 1 clara batida
· 50 g de mantequilla líquida
· un poco de azúcar glass

PARA LA CREMA
DE QUESO FRESCO Y MIEL
· 1 hoja de gelatina
· 100 g de nata
· 100 g de queso fresco
· la pulpa de ½ vaina de vainilla
· 35 g de miel
· la ralladura de la cáscara y el
  zumo de ½ limón de cultivo
  biológico

La masa de strudel *se puede preparar también en casa con muy pocos ingredientes: tamizar sobre la superficie de trabajo 150 g de harina, hacer forma de volcán con ella y poner dentro una pizca de sal, 2 cs de aceite vegetal así como 80 ml de agua añadida muy poco a poco. Trabajar todo hasta conseguir una masa suave. Formar una bola con ella, pintarla de aceite con un pincel y antes de seguir dejarla reposar durante al menos 30 minutos.*

1. Prepare primero la pasta de *strudel*. Precalentar el horno a 180 °C. En la mitad de la pasta, extender con el pincel una fina capa de clara de huevo batida. Doblar la otra mitad por encima y presionar. Pintar la superficie de la pasta con la mantequilla líquida.

Vainilla

En muchos postres se necesita el aroma y la pulpa de ½ vaina de vainilla: ⸱s mitades que sobran pueden conservarse ⸱escas durante mucho tiempo si se guardan ⸱n almíbar (ver recuadro en la página 139).

2. Cortar el trozo de pasta con una rueda cortapastas en pequeños cuadrados o también en triángulos. Espolvorear los trozos de pasta con azúcar glass y ponerlos en una placa de horno cubierta de papel de hornear. Dorar los trozos de pasta en el horno (a media altura) durante unos 10 minutos; sacarlos y dejarlos enfriar.

3. Para la crema, ablandar la gelatina en agua fría. Montar la nata. Mezclar el queso fresco, la pulpa de vainilla, la miel y la ralladura de limón. Calentar el zumo de limón y desleír en él la gelatina. Mezclar removiendo bien la mixtura de gelatina y limón con la crema de queso fresco. Incorporar la nata y poner la crema a enfriar durante al menos 1 hora.

4. Para presentar el postre, llenar con la crema una manga pastelera con boquilla ancha, y distribuirla en los trozos de pasta caramelizada. Colocar encima el resto de los trozos de pasta.

Página 13
CURSO DE COCINA Gelatina

Moldes y formas

Son una ayuda imprescindible para dar forma a masas
y pastas durante el horneado o la cocción.

LOS POSTRES HORNEADOS TIENEN casi siempre una apariencia característica, ya sea una tartaleta de fruta con su borde ondulado o un suflé. Los moldes en los que se preparan, por sus características, son los que mejor se adaptan a la masa que se cuece en ellos.

MATERIALES UTILIZADOS

La mayoría de los moldes son de un metal fino y buen conductor del calor. Los hay con protección antiadherente o esmaltados. En los moldes de paredes gruesas de cerámica o de aluminio, los suflés y los pasteles suben de manera uniforme. Los moldes de silicona se pueden meter en el lavaplatos y ocupan muy poco sitio a la hora de guardarlos. En cualquier caso, en estos moldes la pasta de los bordes no se tuesta demasiado y no se pone crujiente. Estos moldes son muy apropiados para el *savarín*, que no debe tostarse y que en muchas recetas hay que emborracharlo antes de servirlo.

MOLDES PARA HORNO

MOLDES PARA PASTELES Y MOLDES PARA TARTAS

Este tipo de moldes son ampliamente usados en pastelería y confitería. Son muy útiles los de forma rectangular, de los que hay una amplia oferta de tamaños.

COCOTTE Y FUENTES PARA GRATINADOS

Los moldes de cobre o de cerámica resistente al calor, en los que se hornea un gratinado de frutas o unos *nockerln* de Salzburgo, son también apropiados como fuentes para servir.

MOLDES DE PIE Y DE TARTALETAS

Si se van a necesitar muchos tamaños diferentes, lo mejor es echar mano de los moldes de hojalata, más económicos. Los pasteles pequeños se desprenden bien de estos moldes.

MOLDES DE ROSCA PARA *SAVARÍN*

También estos moldes clásicos, de paredes lisas y ancho canal, pueden adquirirse en diferentes tamaños y materiales. En la parte izquierda de la fotografía vemos un molde de rosca grande para un *savarín* que se partirá en porciones al llegar a la mesa. El molde de la derecha es de silicona y resistente al calor.

MOLDES PARA SUFLÉ

El suflé tiene que subir mucho y de manera uniforme. De ahí que se utilicen moldes de cerámica, que reparten el calor uniformemente. También son importantes las paredes verticales y lisas, por las que el suflé puede subir muy alto. Lo mismo que las fuentes de gratinado (ver más arriba), los moldes de suflé sirven también como vajilla para la mesa.

TIMBALES Y FLANERAS

Los moldes individuales cilíndricos son originariamente recipientes para pastas sin envoltura. Sin embargo, también son apropiados para jaleas, helados o minitarrinas. Una buena alternativa a los moldes de metal de los que hay que volcar la masa son las tazas de café de cerámica, en las que se puede servir el postre.

Utensilios de repostería

(1)

(2)

(3)

MÁQUINAS, RECIPIENTES, HERRAMIENTAS

(1) **Heladoras**: las hay de diversos materiales. En el caso de los modelos más sencillos y económicos, para uso principalmente doméstico, la masa de helado se enfría por la baja temperatura que proporciona el acumulador de frío integrado en el recipiente. El modelo que utilizan los profesionales tiene un compresor similar al de los frigoríficos; con estas máquinas se puede, por tanto, preparar varios tipos de helados sucesivamente.

(2) Existen también diferentes modelos de **cucharas de helados**: a la izquierda y en el centro, dos cucharas de bolas con un sistema para desprender la porción; a la derecha, una cuchara para rascar el helado con la que también pueden servirse as cremas.

(3) **Batidora eléctrica y amasadora eléctrica**: son necesarias en la preparación de postres para homogeneizar y amasar pastas y masas.

(4) Los **coladores** finos de diferentes tamaños son útiles para pasar los *coulis* de frutas y otros tipos de salsas y de líquidos.

(5) Una **rasqueta dentada** le permitirá decorar tartas y postres similares con coberturas blandas como, por ejemplo, cremas o nata.

(6) En la fotografía, un **recipiente para el baño María**. Tiene un mango largo que no se calienta y en el lado opuesto un enganche ancho para colgarlo del puchero.

(7) Gracias a la forma semiesférica del **recipiente para batir claras** a punto de nieve se pueden batir estupendamente salsas y montar nata y claras. El recipiente dispone de un pie en el que apoyarlo con seguridad después de batir.

(8) (9) Lo ideal es contar en casa con una pequeña selección de **varillas y batidores**. Los hay de distintos tamaños para diferentes cantidades, con mango más grueso para masas que hay que batir con fuerza, con mango más fino para batidos más sueltos; los que tienen varillas más cerradas para masas más sólidas y los que son más abiertos para masas más líquidas.

Utensilios de repostería

PREPARACIÓN DE LA FRUTA

Con el **pelador** de fruta se retiran
cáscaras duras en una capa muy fina.
Un **cuchillo** de fruta con la hoja muy
pequeña es ideal para partir las piezas
de fruta.

RALLADORES

Los **ralladores** anchos o estrechos sirven
en repostería sobre todo para las ralladuras
de cortezas de cítricos, ingredientes
habituales de muchas masas y de
numerosas salsas calientes.

EXPRIMIDORES DE ZUMOS

Con el **exprimidor** de cítricos
de la fotografía se puede exprimir
cómodamente el zumo de limones
y naranjas, recogiéndolo en el cuenco
que está debajo.

FREÍR Y DORAR

Las sartenes de acero inoxidable y de
hierro fundido son robustas y fáciles
de mantener.

En cualquier caso, las últimas tienen una
mayor resistencia al calor. Las sartenes de
hierro no deben lavarse con detergente
porque se oxidan. Lo mejor es limpiarlas
con papel de cocina después de cada uso
para que en la superficie se forme y se
mantenga una fina capa de grasa.

VOLTEAR

Esta **espumadera** está formada por un
alambre flexible en el exterior y rígido
en el interior. Por ello es un instrumento
adecuado para dar la vuelta o extraer
los alimentos cocinados en sartenes con
tratamientos antiadherentes, sin que se
raye su superficie.

La disposición ergonómica de esta
espumadera facilita, además, la labor
en el horno.

PRESENTACIÓN

Los dos botes para *espolvorear* de la
fotografía sirven para **esparcir uniformemente azúcar, cacao u otras sustancias.**

El modelo de la izquierda es un
azucarero con agujeros muy finos
que permite repartir el polvo
uniformemente. El de la derecha alterna
orificios pequeños con otra retícula más
gruesa. Con él se puede poner el toque
decorativo a muchos postres.

DECORAR CON FRUTA

Con el **acanalador** de frutas (abajo a la izquierda) se consiguen largas y delgadas tiras de corteza de frutas; con el **cuchillo rizador** (centro a la izquierda) se pueden extraer decorativas virutas de frutas, chocolate o helado. Con el **descorazonador** (arriba a la izquierda) se podrán vaciar limpiamente manzanas y peras. El **vaciador** o la **cuchara de bolitas** (a la derecha) saca porciones redondeadas de la carne de las frutas blandas (ver también página 31).

PARA LA MASA

Hacer trabajos decorativos con diferentes masas le resultará más fácil con una selección de **cortapastas** de diferentes tamaños. Los aros que se ven en la fotografía se pueden utilizar también como moldes para hornear.

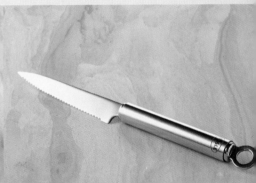

NAPAR

Con una **espátula recta** podrá napar con salsas, chocolates o cremas así como transportar pasteles.

La **espátula acodada** es ideal para napar los pasteles en sus moldes o para sacarlos de ellos. El modelo con la superficie más ancha (en el centro) es adecuado, sobre todo, para productos de sartén. Además, si tiene el canto afilado se puede cortar el postre.

MEDIR Y CORTAR

En pastelería, a menudo hay que hacer cortes muy precisos, especialmente cuando se trata de formas huecas como los barquillos. La **regla** y el **cúter** son herramientas imprescindibles.

Unas **tijeras robustas** también son indispensables especialmente para cortar adecuadamente papeles y plásticos de todo tipo, como el papel de hornear, tiras de papel *film* o papel apergaminado.

CORTAR

El **cuchillo** de hoja dentada es muy útil para cortar pasteles pequeños, como por ejemplo de *biscuit* o de pasta *choux*. En la fotografía, un cuchillo de unos 12 cm de longitud de hoja y con punta media.

Además, la estabilidad de la hoja de este cuchillo lo hace ideal para cortar fruta de corteza dura y corazón blando.

AGAR-AGAR: elemento gelificante vegetal, hecho a base de algas marinas rojas y marrones, que se utiliza para cremas, jaleas o pudines. Es una alternativa a la gelatina.

ALMÍBAR: azúcar disuelto en agua (sirope de azúcar). Según la consistencia, puede ser apropiado para la elaboración de *glasas*, azúcar hilado o como líquido de cocción para frutas.

BAÑO MARÍA: un recipiente con agua a punto de hervir, en el que se introduce otro envase de menor tamaño cuyo contenido se quiere calentar.

BAÑO MARÍA HELADO: un recipiente con agua fría y cubitos de hielo en el que se introduce otro envase de menor tamaño para enfriar rápidamente su contenido. También se denomina "baño de hielo".

BLANQUEAR: sumergir frutas u hortalizas en agua hirviendo para, por ejemplo, quitarles la piel con más facilidad. Además, en el caso de algunas frutas, intensifica el color y elimina los elementos amargos.

CARAMELIZAR: derretir el azúcar y dejar que se tueste. También cubrir o mezclar con azúcar derretido.

COBERTURA: chocolate con alto porcentaje de manteca de cacao que se utiliza, especialmente, para cubrir dulces.

CORTEZAS (TIRAS DE): tiras finas de la cáscara de cítricos, que se pueden extraer utilizando el acanalador de frutas.

COULIS: zumo concentrado o puré líquido, por ejemplo, de verdura o de fruta; sirve de base para salsas, sopas o platos dulces.

CREMA INGLESA: crema de vainilla. Es una preparación culinaria espesa que constituye la base de muchos postres, entre otros los helados.

DEJAR TEMPLAR: dejar enfriar los glaseados (por ejemplo, el chocolate) hasta que comienzan a solidificarse, lo que hace que sean moldeables o permite añadir otra capa.

ESPEJO DE SALSA: base de salsa que cubre el fondo del plato y sobre la que se sirve el alimento principal.

FONDANT: *glasa* blanca (dura o todavía moldeable) de sirope de azúcar. Se usa para cubrir bombones o tartas.

GELATINA: *gelificante* a base de proteína animal: primero se ablanda en agua fría y después se diluye en caliente. La alternativa vegetal a la gelatina es el agar-agar.

GLASEAR: cubrir un postre con *glasa* de azúcar o con *fondant*.

GRANIZADO: refresco de hielo granulado sobre base de agua, es decir, con sirope de frutas u otro líquido aromático (café, licor, limón...).

LLEVAR AL PUNTO DE ROSA: los pasteleros alemanes denominan así al punto óptimo que tiene que adquirir una crema, como la inglesa, que espesa mientras se remueve, llegando a impregnar la cuchara. Cuando se sopla sobre la crema se forman unas ondas que recuerdan a los pétalos de una rosa.

MANTEQUILLA TOSTADA: mantequilla tostada en la sartén hasta que adquiere un color avellana (del francés *beurre noisette*).

MERENGUE: masa espumosa de claras de huevo batidas a punto de nieve y azúcar; se introduce en el horno más para secarla que para hornearla.

MILHOJAS: del francés *millefeuille*. Es el nombre que se le da a un pastel compuesto por capas de hojaldre y crema.

NAPAR: cubrir con una salsa.

PARFAIT, PARFAIT **HELADO:** postre helado, con una gran parte de nata montada, que no se hace en la heladora, sino en un molde que se introduce en el congelador.

PASAR: hacer pasar líquidos, o mezclas relativamente líquidas, por un chino o por un trapo frotando o aplastándolos.

PASTA *BRICK***:** se elabora con agua, aceite vegetal, harina y sal. En el comercio se encuentra en forma de obleas con las que se pueden hacer no sólo *bricks* (rellenos de masa), sino también rollitos de primavera o empanadillas con un relleno dulce.

*PETITS FOURS***:** preparaciones de pastelería muy diversas que tienen en común su tamaño pequeño.

REDUCIR: hervir líquidos para conseguir que se concentren y queden espesos por evaporación, de manera que se intensifica su sabor.

*SABAYON***:** crema espumosa de huevos que se bate con vino (blanco, tinto o dulce).

SORBETE: helado hecho con una masa de zumo de frutas, puré de frutas, azúcar, sirope de azúcar y aromatizantes (también bebidas alcohólicas) y eventualmente un poco de clara de huevo batida para hacerlo más esponjoso.

SUFLÉ: es un plato espumoso y ligero hecho al horno que se compone fundamentalmente de claras de huevos montadas a punto de nieve.

TEMPLAR LA COBERTURA DE CHOCOLATE: calentarla al baño María a temperatura corporal para lograr una cobertura uniforme y un buen sabor.

TIMBAL: molde pequeño que se suele utilizar para dar forma a pasteles de carne, jaleas, terrinas y postres helados (ver página 203); el molde da nombre al plato mismo.

El índice contiene conceptos especializados, productos, indicaciones del curso de cocina y recetas (señaladas con •)

Nuestros maestros reposteros

Markus Bischoff

ESTE EXPERTO confitero se ganó su merecida fama por la labor en restaurantes de prestigio como el "Auberge de I'Ill" de Illhäusern y el "Aubergine" de Múnich. Entretanto, mima a sus huéspedes en el restaurante "Bischoff am See" junto al lago Tegern. Markus Bischoff recibió una estrella Michelin y 17 puntos Gault-Millau. Imparte el arte de cocinar en su propia escuela de cocina (www.bischoff-am-see.de).

Matthias Buchholz

SU ESTILO DE cocina se define como "sensual fantasía de los condimentos". Por su arte culinario del más alto nivel, Matthias Buchholz recibió una estrella Michelin y 18 puntos Gault-Millau. Tras finalizar su formación como cocinero, Buchholz trabajó, entre otros, en el "Weinhaus Brückenkeller" de Frankfurt, así como en el restaurante "Logenhaus" de Berlín. Entretanto, como *chef de cuisine* en el restaurante "First Floor" del Hotel Palace de Berlín, seduce a sus huéspedes con sus sofisticados platos y postres.

Peter Hauptmeier

ES UN AUTÉNTICO maestro en el ámbito de la repostería y la pastelería. Tras su formación como confitero, aprendió también el arte de la pastelería francesa y se especializó en la elaboración de las más refinadas creaciones de azúcar. Como jefe pastelero en el "Park Hotel" de Bremen (Alemania) desarrolló un fabuloso menú de postres de 11 platos. Desde 1995 trabaja creando postres y pastelería en Bremen, en el "Café Hauptmeier" del "Best Western Wellness Hotel zur Post".

Melanie Woltemath-Kühn

DESDE MUY PRONTO se hizo un hueco en el mundo masculino de la alta cocina, y eso a pesar de ser autodidacta. Y es precisamente este hecho el que da a la cocina de Melanie Woltemath-Kühn un encanto creativo y un carácter especiales, que, desde 1975, tanto aprecian sus clientes en el "Woltemaths Restaurant" de Burgwedel (Alemania), a las puertas de Hannover. Los muchos galardones otorgados a Melanie Woltemath-Kühn son la prueba de su impecable arte culinario.

Tablas de equivalencias

más usuales

PESO	
Sistema métrico	**Sistema anglosajón**
30 gramos (g)	1 onza (oz)
55 g	2 oz
85 g	3 oz
110 g	4 oz ($^1/_4$ lb)
140 g	5 oz
170 g	6 oz
200 g	7 oz
225 g	8 oz ($^1/_2$ lb)
255 g	9 oz
285 g	10 oz
310 g	11 oz
340 g	12 oz ($^3/_4$ lb)
400 g	14 oz
425 g	15 oz
450 g	16 oz (1 lb)
900 g	2 lb
1 k	2$^1/_4$ lb
1,8 k	4 lb

CAPACIDAD (LÍQUIDOS)		
Mililitros	**Onzas fluidas**	**Otros**
5 ml		1 cucharadita
15 ml		1 cucharada
30 ml	1 fl oz	2 cucharadas
56 ml	2 fl oz	
100 ml	3$^1/_2$ fl oz	
150 ml	5 fl oz	$^1/_4$ pinta (1 gill)
190 ml	6$^1/_2$ fl oz	$^1/_3$ pinta
200 ml	7 fl oz	
250 ml	9 fl oz	
290 ml	10 fl oz	$^1/_2$ pinta
400 ml	14 fl oz	
425 ml	15 fl oz	$^3/_4$ pinta
455 ml	16 fl oz	1 pinta EE UU
500 ml	17 fl oz	
570 ml	20 fl oz	1 pinta
1 litro	35 fl oz	1$^3/_4$ pinta

TEMPERATURAS (HORNO)		
Grados Celsius	**Grados Fahrenheit**	**Gas**
70	150	$^1/_4$
100	200	$^1/_2$
150	300	2
200	400	6
220	425	7
250	500	9

LONGITUD	
Pulgadas	**Centímetros**
1 pulgada	2,54 cm
5 pulgadas	12,70 cm
10 pulgadas	25,40 cm
15 pulgadas	38,10 cm
20 pulgadas	50,80 cm

ABREVIATURAS

g = gramo
k = kilogramo
oz = onza
lb = libra
l = litro
dl = decalitro
ml = mililitro
cm = centímetro
mm = milímetro
fl oz = onza fluida
pulg. = pulgada
°C = Centígrado
cs = cucharada sopera
ct = cucharadita

Dirección editorial	Dorothee Seeliger
Dirección del proyecto y conceptos	Claudia Bruckmann
Redacción	Claudia Lenz
Redacción gráfica y colaboración	Sonja Ott
Textos	Claudia Lenz y Claudia Bruckmann
Corrección	Katharina Lisson
Testadores de recetas	Eva Fischer y Gudrun Mach
Producción	Susanne Mühldorfer
Recetas	Recetario: Peter Hauptmeier, Melanie Woltemath-Kühn y Matthias Buchholz Curso de cocina: Markus Bischoff
Fotografías	Haupttitel und Rezeptteil (alle Gerichte, Warenkundeseiten, Aufmacher): Matthias Hoffmann, Delmenhorst, und Frauke Koops – Produktion, Styling, Foodstyling (Geesthacht b. Hamburg), Peter Hauptmeier (fachliche Beratung bei den Fotoaufnahmen). Der Kochkursteil wurde von Peter von Felbert, Múnich und Anne Eickenberg, Hamburg in der Profiküche von Markus Bischoff, Hotel Bischoff am See, Tegernsee fotografiert
Ilustración de cubierta	independent Medien-Design, Múnich, Janine Polte
Diseño	independent Medien-Design, Múnich, Sandra Gramisci
Maquetación	independent Medien-Design, Múnich, Lucie Schmid
Diagramación	h3a Mediengestaltung y Produktion GmbH, Múnich, Andreas Grassinger
Título original	*Kochkurs für Genießer Desserts*
Traducción	Elsa Alfonso Mori

 © 2006 TEUBNER, GRÄFE UND UNZER VERLAG GmbH, Múnich
y EDITORIAL EVEREST, S. A.
Carretera León-La Coruña, km 5 LEÓN
ISBN: 978-84-441-2010-2
Depósito Legal: LE: 1488-2008
Printed in Spain - Impreso en España

EDITORIAL EVERGRÁFICAS, S. L.
Carretera León-La Coruña, km 5 LEÓN (ESPAÑA)

www.everest.es
Servicio de Atención al Cliente: 902 123 400

Nuestro agradecimiento a la empresa *Rösle* por poner a nuestra disposición los diferentes utensilios de cocina,
a Manuela Ferling, de la Agencia "Kochende Leidenschaft", por su mediación con los cocineros, así como a la empresa
Schoenhuber Franchi por poner a nuestra disposición la vajilla para la parte del "Curso de cocina".